Les délices de
la mayonnaise!

Directeur artistique . . . . Ray Richards
Rédactrice . . . . Miranda Craig
Chroniques alimentaires . . . . Pat Morrison
Création des recettes et styliste. . . . . Alice Joy Miller
Photographe . . . . Lynn St. John
Coordonnateur . . . . Hall Walter
Illustrateur. . . . . Joan Blume

©CPC INTERNATIONAL INC. 1979
Adaptation par la Compagnie Canada Starch Inc.

Les recettes publiées dans ce livre ne peuvent
être reproduites (ne pas en utiliser plus que
dix dans un même ouvrage) sans que mention
de la provenance n'on soit faite, c'est-à-dire
du livre ayant pour titre
"Cet ingrédient étonnant - la MAYONNAISE"

Hellmann's est une marque déposée
de CPC International

ISBN 0969017-3-2

Les délices de
la mayonnaise!

Recettes émises par les fabricants de la mayonnaise Hellmann's

Division Best Foods
Compagnie Canada Starch Inc.
C.P. 129, Station A
Montréal, Québec H3C 1C5

CONTENTS

Chapitres

1.

AVANT-PROPOS

1. *Camion de livraison, début de 1930.* 2. *Pot de mayonnaise BEST FOODS, 1939.* 3. *Richard Hellmann, 1920.* 4. *Pot de mayonnaise HELLMANN'S, 1939.* 5. *Première épicerie et personnel de Richard Hellmann, 1912.* 6. *Camionnette de livraison BEST FOODS, 1920.*

Pourquoi tout un livre consacré à la mayonnaise? Afin de vous révéler comment elle peut servir à un grand choix de préparations intéressantes. Ces recettes vous feront découvrir les multiples façons d'utiliser "cet ingrédient étonnant" qu'est la mayonnaise dans la préparation des soupes, de pains, de salades, d'entrées, de desserts. Plus vous vous en servirez, plus vous verrez que la mayonnaise peut avoir sa place dans la cuisine, autant que le sel et le poivre.

La mayonnaise, comme on le sait maintenant, fit son apparition sur le marché lorsque Richard Hellmann décida de la vendre dans son épicerie à New York en 1912. Peu à peu, on réalisa que la mayonnaise de Monsieur Hellmann était beaucoup plus pratique que celle qu'on faisant à la maison, et que malheureusement on ne réussissait pas toujours. Grâce à un produit désormais accessible, la maîtresse de maison pouvait préparer une cuisine plus variée.

A la même époque, The Best Foods Inc. présentait aussi sur le marché en Californie, une excellente mayonnaise portant le nom de l'entreprise. Pendant que la mayonnaise Hellmann's prenait de l'ampleur sur le marché, à partir de la côte est jusqu'aux Rocheuses, la mayonnaise Best Foods devenait populaire partout dans l'ouest. Puis arriva le moment où les deux marques se retrouvèrent sous la même bannière, celle de The Best Foods Inc. Cependant, les deux marques ayant acquis une certaine popularité

8

1. Le siège social de Best Foods et de la société-mère CPC International Inc., Englewood Cliffs, New Jersey. 2. Les spécialistes en art culinaire et la création des recettes. 3. Evaluation gustative des recettes dans la cuisine expérimentale de Best Foods. 4. Une nouvelle recette préparée en vue de l'évaluation gustative. 5. La vraie mayonnaise Hellmann's/Best Foods comme on l'achète aujourd'hui.

chacune dans leur région, il importait de leur garder leur nom propre. C'est pourquoi aujourd'hui dans l'ouest du pays, elle porte le nom de mayonnaise Best Foods et dans l'est, celui de la mayonnaise Hellmann's.

Au Canada, la vraie mayonnaise Hellmann's/Best Foods apparut sur le marché en 1932 et depuis, elle est fabriquée par Best Foods, Canada.

Les recettes dans ce livre ont été crées et éprouvées par des économistes professionnelles de la cuisine, puis éprouvées de nouveau par des consommatrices dans leur foyer.

Depuis longtemps, les canadiens connaissent la superbe saveur de la mayonnaise Hellmann's/Best Foods. Nous désirons maintenant vous faire connaître les multiples façons de l'utiliser.

Quelque soit le menu, le mets ou l'aliment, la mayonnaise y a toujours sa place … dans la soupe, les entrées, même les pâtisseries. Elle donne une texture et une saveur insurpassables à tout ce que vous préparez, que ce soit un gâteau, une vinaigrette, une sauce, un sandwich, parce que la mayonnaise Hellmann's/Best Foods est vraiment, "cet ingrédient étonnant".

9

2.

HORS D'OEUVRE

Pour se mettre en appétit … il y a les hors-d'oeuvre. L'idée de servir des hors-d'oeuvre n'est pas d'aujourd'hui; au temps des romains, en attendant l'heure du repas, les invités se gavaient de raisins, d'olives, de câpres, en guise de hors-d'oeuvre. Dans la Grèce antique, on les trouvait stimulants pour l'appétit et on les servait avec des boissons alcoolisées.

Aujourd'hui, avec la vraie mayonnaise Hellmann's, vous pouvez préparer des trempettes, des garnitures, des canapés, des boules au fromage et des potages froids, tous d'un goût incroyablement bon; et chacun de ces différents hors-d'oeuvre peut constituter le début de tout repas.

L'HEURE DES HORS-D'OEUVRE

CANAPÉS AU FROMAGE ET ÉCHALOTTES

1 paquet (250 g) de fromage à la crème ramolli
½ tasse d'échalottes hachées
¼ tasse de vraie mayonnaise Hellmann's
    choix de craquelins

Dans un petit bol, battre à haute vitesse le fromage à la crème, jusqu'à léger et mousseux. Ajouter les échalottes hachées et la vraie mayonnaise et continuer de battre pour bien mélanger. Couvrir; refroidir pendant au moins 4 heures pour mêler les saveurs. Etendre sur des craquelins. Garnir de tranches d'olives noires ou de caviar rouge. Donne 1¾ tasse de garniture. Peut être servi en trempette, à la température ambiante.

TOMATES FARCIES AU CRABE

20 tomates naines
1 boîte de 5 onces de chair de crabe, égouttée
50 mL de vraie mayonnaise Hellmann's
4 mL zeste de citron râpé
2 mL de poudre de cari

Enlever une tranche mince aux deux extrémités de chaque tomate. Vider l'intérieur; égoutter. Dans un petit bol, mélanger ensemble les ingrédients suivants. Remplir les tomates. Couvrir; refroidir. Donne 20 tomates.

Petites tomates surprises à saveur de cari.

PAIN CROÛTÉ FOURRÉ

1 pain croûté d'environ 20 pouces de long
2 paquets (250 g chacun) de fromage à la crème ramolli
½ tasse de vraie mayonnaise Hellmann's
1 pot (4 oz) de piments rouges doux bien égouttés
¼ tasse de persil haché
½ c. à thé de sel
⅛ c. à thé de poudre d'ail

Couper le pain en quatre morceaux. Avec une fourchette enlever la mie de chaque morceau de pain en laissant ½ pouce d'épais de croûté; mettre de côté. Dans un bol moyen, battre à grande vitesse, les autres ingrédients. Remplir la cavité du pain avec ce mélange. Envelopper dans du papier saran; refroidir au moins 3 heures. Juste avant de servir, couper en tranches de ½ pouce d'épaisseur. Donne 40 tranches.

Ce remplissage coloré donne un air de fête aux hors-d'oeuvre que vous pouvez préparer d'avance.

gauche et à droite: *Pain croûté fourré.* En haut et en bas: *Canapés au fromage et échalottes.*
u centre: *Tomates farcies au crabe, Champignons farcis au thon, Oeufs farcis.*

OEUFS FARCIS

6 oeufs cuits durs coupés en deux
¼ tasse de vraie mayonnaise
 Hellmann's
1 c. à thé de moutarde préparée
½ c. à thé de vinaigre blanc
¼ c. à thé de sel

Enlever les jaunes et les écraser dans un petit bol. Ajouter les autres ingrédients. Déposer à la cuiller dans le creux de chaque blanc. Couvrir; refroidir pendant 1 heure. Garnir de persil et saupoudrer de paprika. Donne 12 moitiés.

Pour donner un goût différent à cette garniture, ajouter 2 c. à table de bacon cuit émietté, ou 1 c. à table d'échalotte hachée, ¾ c. à thé de poudre chili et un peu de sauce au piment.

CRAQUELINS EN GELÉE

¼ c. à thé de gélatine sans saveur
1 c. à table d'eau
½ tasse de vraie mayonnaise
 Hellmann's
1 c. à table de persil haché
 (si désiré)

Dans une petite casserole, saupoudrer la gélatine dans l'eau. Brasser sur feu moyen pour dissoudre. Ajouter les autres ingrédients en brassant. Etendre une couche mince sur des craquelins. Garnir à votre goût. Couvrir; refroidir pendant 3 heures. Donne ½ tasse de garniture.

Les craquelins restent croustillants avec ce genre de mélange.

14

CHAMPIGNONS FARCIS AU THON

12 gros champignons
1 boîte (3½ onces) de thon en flocons, égoutté
½ tasse de vraie mayonnaise Hellmann's
3 c. à table de fromage Parmesan râpé
3 c. à table de miettes fines de pain de seigle
1 c. à thé d'oignon émincé
1 c. à thé de jus de citron

Couper la tige des champignons et hacher fin. Mélanger avec les autres ingrédients. Griller les chapeaux à 4 pouces de la chaleur pendant 5 minutes; retourner. Remplir de mélange au thon. Griller un autre 5 minutes ou jusqu'à légèrement doré. Donne 12 champignons.

Au four micro-ondes: Remplir les chapeaux avec le mélange au thon. Disposer en rond dans une assiette pour le four à micro-ondes. Cuire à plus haute intensité pendant 2 à 3 minutes en les retournant d'un demi-tour à chaque minute.

PETITES QUICHES

Pâte pour 2 abaisses de tarte
6 tranches de bacon cuit, en morceaux
¼ tasse d'échalottes en tranches
1 tasse de fromage suisse râpé (4 onces)
2 oeufs
½ tasse de vraie mayonnaise Hellmann's
⅓ tasse de lait
1 c. à table de farine
¼ c. à thé de sel

Sur une surface légèrement enfarinée, rouler la moitié de la pâte en un cercle de 12 pouces. Dans ce cercle, couper des ronds de 4 pouces. Répéter avec le reste de pâte. Déposer dans des moules à muffins (2½ x 1¾ po). Diviser le bacon dans les moules, ainsi que l'oignon et le fromage. Dans un petit moule, mélanger ensemble les ingrédients qui restent; verser sur le fromage. Cuire au four à 400°F pendant 20 à 25 minutes ou jusqu'à doré. Démouler. Servir immédiatement. Donne 12 portions.

Pour préparer des quiches aux fruits de mer, il faut remplacer le bacon par des crevettes et ajouter ¼ c. à thé de graines d'aneth.

POUR LES FESTIVITÉS

TREMPETTE A SAVEUR PIQUANTE

15 mL margarine
50 mL oignon émincé
2 tomates moyennes, pelées et hachées fin
2 mL piments broyés
2 mL sucre
500 mL fromage Cheddar râpé
125 mL vraie mayonnaise Hellmann's
sauce au piment

Dans une casserole moyenne, faire fondre la margarine sur un feu moyen. Ajouter l'oignon et cuire jusqu'à tendreté. Ajouter les 3 ingrédients suivants. Cuire en brassant pendant environ 10 minutes pour briser les tomates. Réduire à feu doux. Ajouter le fromage et la vraie mayonnaise; ne brasser que pour faire fondre le fromage. Ajouter au goût, la sauce au piment. Verser dans un réchaud de table; tenir au chaud. Servir avec des croustilles au mais. Donne 500 mL.

Au four micro-ondes: Dans un bol d'un litre micro-perméable cuire l'oignon et la margarine à plus haute intensité pendant 2 ou 3 minutes ou jusqu'à tendreté. Ajouter les tomates, les piments broyés et le sucre. Chauffer 1 à 2 minutes ou jusqu'à bouillonnant. Ajouter le fromage et la mayonnaise. Chauffer 1 à 2 minutes ou jusqu'à ce que le fromage soit fondu. Ajouter au goût, la sauce piquante. Donne 500 mL.

En haut: *Trempette à saveur piquante, Trempette guacamole.*
En bas: *Trempette crémeuse au cari.*

TREMPETTE CRÉMEUSE AU CARI

1 tasse de vraie mayonnaise Hellmann's
2 c. à table de sauce chili
1 c. à thé d'oignon râpé
1 c. à thé de vinaigre à l'estragon
½ c. à thé de poudre de cari

Dans un petit bol, mélanger ensemble tous les ingrédients. Couvrir. Refroidir. Servir avec des légumes frais. Donne environ 1 tasse.

Cette saveur orientale ajoute du piquant aux crudités.

TREMPETTE GUACAMOLE

2 petits avocats (environ 1½ lb. pelés, coupés)
1 tomate moyenne, pelée, coupée
½ tasse de vraie mayonnaise Hellmann's
½ petit oignon
2 c. à table de jus de citron
⅛ c. à thé de piments broyés
1 c. à thé de sel

Mettre tous les ingrédients dans le bol du mélangeur; couvrir. Mélanger à haute vitesse jusqu'à ce que lisse. Verser dans un bol. Couvrir; refroidir 1 heure. Servir avec des légumes frais assortis ou des croustilles. Donne 2 tasses.

FONDUE DES ALPES

4 tasses de fromage suisse (1 livre) râpé
1 c. à table de farine
1 tasse de vin blanc sec
½ tasse de vraie mayonnaise Hellmann's
1 pain croûté, coupé en cubes

Mélanger le fromage avec la farine. Dans un plat à fondue ou une casserole de 2 pintes, mélanger ensemble le vin et la vraie mayonnaise. Cuire en brassant constamment sur feu moyen ou bas jusqu'à ce que le mélange commence à bouillir. Ajouter le fromage par poignées, en brassant après chaque addition pour aider à le fondre. Garder au chaud et servir avec des croûtons de pain. Donne environ 4 tasses.

Au four micro-ondes: Dans une casserole micro-perméable mélanger ensemble tous les ingrédients. Couvrir; chauffer à la plus haute intensité pendant 4 minutes, en brassant après chaque minute. Laisser reposer à découvert pendant 5 minutes.

TREMPETTE POUR STEAK

1 **tasse de vraie mayonnaise Hellmann's**
2 **c. à table de sauce chili ou ketchup**
2 **c. à table de câpres**
2 **c. à table de persil haché**
2 **c. à thé de moutarde préparée**
1 **gousse d'ail**
1 **enveloppe (environ 1 once) de mélange à marinades pour viande**
2 **livres de boeuf dans le haut de ronde, tranche de 1 pouce d'épaisseur**

Mettre les 6 premiers ingrédients dans le bol du mélangeur couvrir et mélanger à haute vitesse pendant 30 secondes. Couvrir et refroidir 1 heure. Mariner puis cuire la viande selon les instructions sur l'enveloppe. Couper la viande en cubes. Servir avec la sauce à tremper. Donne 1 tasse de sauce. Cette sauce est également bonne avec des boulettes de viande et des saucissons à cocktail.

TREMPETTE AU PERSIL

1 **tasse de vraie mayonnaise Hellmann's**
½ **tasse de persil haché**
2 **c. à table d'oignon émincé**
1 **c. à table de moutarde de Dijon**
1 **gousse d'ail émincée**
1 **c. à thé de sel**
1 **tasse de yogourt nature ou de crème sûre**

Dans un petit bol mélanger ensemble les 6 premiers ingrédients; ajouter le yogourt. Couvrir et refroidir au moins 4 heures pour bien mélanger les saveurs. Donne 2½ tasses.

Cette saveur d'herbe est très rafraîchissante.

POUR LES FESTIVITÉS

CRÈME AU FROMAGE POUR TARTINER

1½ paquet (250 g chacun) de
 fromage à la crème ramolli
⅓ tasse de fromage parmesan
¼ tasse de vraie mayonnaise
 Hellmann's
½ c. à thé d'oregan
⅛ c. à thé de poudre d'ail
1 tasse de noix de pacanes

Dans un petit bol, mélanger au malaxeur à la vitesse moyenne les 5 premiers ingrédients jusqu'à léger et mousseux. Couvrir; refroidir au moins 3 heures. Directement dans un plat de service, donner la forme de pomme de pin. Insérer la partie ronde de la noix dans la crème au fromage, en rangs inégaux. Couvrir; refroidir jusqu'au moment de servir. Servir avec des craquelins. Donne environ 1¾ tasse.

Une délicieuse garniture qui prend un air de fête.

TARTINADE AU JAMBON

1 fromage Gouda rond, refroidi
 (8 oz)
¼ tasse de vraie mayonnaise
 Hellmann's
1 boîte de 3 onces de pâté
 de jambon
2 c. à table de relish sucrée
1 c. à thé de sauce Worcestershire
1 c. à thé de moutarde préparée
¼ tasse de persil

Couper ½ pouce de la boule de fromage. Retirer soigneusement le fromage pour garder la cire intacte. Râper le fromage. Dans un bol moyen, mélanger ensemble le fromage et les 5 autres ingrédients. Avec une cuillère, mettre le mélange dans la coquille de cire et donner la forme de cône. Fleurir avec des branches de persil. Couvrir; refroidir. Donne 1⅓ tasse.

De haut en bas: Tartinade au jambon, Tartinade à canapés, Crème au fromage pour tartiner.

TARTINADE A CANAPÉS

1 enveloppe de gélatine sans saveur
1 boîte (10 oz) de bouillon de boeuf concentré
1 livre de pâté de foie, coupé en morceaux
1 tasse de vraie mayonnaise Hellmann's
¼ tasse de ciboulette
¼ tasse de persil haché
3 c. à table de jus de citron
½ c. à thé de sauce Worcestershire
¼ c. à thé de poivre

Dans une petite casserole, saupoudrer la gélatine au dessus du bouillon boeuf. Brasser constamment sur feu doux jusqu'à ce que la gélatine soit dissoute. Verser ½ tasse dans un moule de 4 tasses; refroidir environ 30 minutes pour laisser prendre mais pas au point d'être ferme. Mettre le reste du bouillon et les autres ingrédients dans le bol du mélangeur couvrir. Mélanger à haute vitesse pour rendre lisse. Verser sur le mélange de gélatine dans le moule. Refroidir pendant 4 heures ou jusqu'à ferme. Démouler. Garnir de persil; servir avec des craquelins. Donne 4 tasses.

TARTINADE AU VIN

2 tasses de fromage cheddar râpé (8 onces)
¼ tasse de vraie mayonnaise Hellmann's
¼ tasse de port ou sherry sec
¼ tasse de lait
¼ c. à thé de poudre d'oignon
⅛ c. à thé de poudre d'ail

Mettre tous les ingrédients dans un mélangeur; couvrir. Mélanger jusqu'à lisse. Mettre dans un plat en grès de 2 tasses. Couvrir et refroidir au moins 4 heures pour que les saveurs se mélangent. Donne 2 tasses.

Un joli pot en grès qui contient une tartinade maison fera un cadeau très apprécié.

TARTINADE AU FROMAGE BLEU

1½ paquet (250 g chacun) de fromage à la crème ramolli
4 onces de fromage bleu émietté (1 tasse)
¼ tasse de vraie mayonnaise Hellmann's
¼ c. à thé poudre d'oignon
¼ c. à thé de thym
¼ c. à thé de poivre

Dans un petit bol battre au mélangeur à la vitesse moyenne tous les ingrédients jusqu'à lisse. Couvrir; refroidir. Servir sur des craquelins. Donne 2 tasses.

GARNITURE AU FOIE DE POULET

50	mL huile de maïs
125	mL oignon émincé
500	g foies de poulets
2	oeufs cuits durs, hachés
125	mL vraie mayonnaise Hellmann's
15	mL sherry sec
2	mL moutarde en poudre
15	mL persil haché

Dans une moyenne casserole, chauffer 25 mL d'huile de maïs sur feu moyen. Ajouter l'oignon; cuire jusqu'à tendreté. Enlever de la casserole. Chauffer 25 mL d'huile de maïs cuire les foies quelques-uns à la fois, jusqu'à légèrement bruns et tendres, environ 3 à 5 minutes. Enlever de la chaleur. Refroidir. Hacher fin les foies. Mettre de côté 25 mL d'oeufs pour garnir. Dans un bol moyen, mêler ensemble l'oignon, les foies, le reste des oeufs et les 3 autres ingrédients. Couvrir; refroidir environ 4 heures. Garnir avec les oeufs mis de côté et le persil. Donne 500 mL.

Une version relevée d'une recette favorite.

BOULE AU FROMAGE

1	paquet (250 g) de fromage à la crème ramolli
¼	tasse de vraie mayonnaise Hellmann's
2	tasses de jambon cuit haché
2	c. à table de persil haché
1	c. à thé d'oignon râpé
¼	c. à thé de moutarde sèche
¼	c. à thé de sauce au piment
½	tasse de pistaches ou d'arachides hachées

Au malaxeur à vitesse moyenne, battre le fromage à la crème et la vraie mayonnaise jusqu'à lisse. Ajouter les 5 ingrédients suivants. Couvrir; refroidir pendant plusieurs heures ou jusqu'à ferme. Donner la forme d'une boule. Rouler dans les noix hachées pour entièrement recouvrir. Servir avec des croustilles.

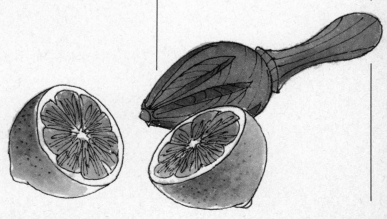

LA SOUPIÈRE

BISQUE DE TOMATE

2 c. à table de margarine
2 oignons moyens, hachés
1 gousse d'ail tranchée
4 grosses tomates (2 lbs) pelées
  en cubes
½ tasse d'eau
1 cube de bouillon de poulet
2¼ c. à thé de graines d'aneth
  fraîches ou ¾ c. à thé de
  graines séchées
¼ c. à thé de sel
⅛ c. à thé de poivre
½ tasse de vraie mayonnaise
  Hellmann's

Fondre la margarine dans une casserole sur feu moyen. Ajouter l'oignon et l'ail; cuire jusqu'à tendreté. Ajouter les 6 autres ingrédients. Couvrir et laisser mijoter pendant 10 minutes. Retirer de la chaleur; refroidir. Battre la moitié du mélange à la fois dans le bol du mélangeur pour rendre lisse. Mettre dans un grand bol. Ajouter la vraie mayonnaise. Couvrir et refroidir toute la nuit. Garnir de tranches de tomates et de feuilles d'aneth. Donne 5 tasses.

VICHYSSOISE

1 L d'eau
500 g de pommes de terre, pelées,
  en dés
500 mL d'oignon haché
6 cubes de bouillon de poulet
1 mL de poivre blanc
125 mL de vraie mayonnaise
  Hellmann's

Mettre les 5 premiers ingrédients dans une casserole de 4 pintes. Amener à ébullition sur feu vif. Réduire la chaleur à feu doux et couvrir. Mijoter 15 minutes ou jusqu'à ce que les pommes de terre soient tendres; refroidir. Mettre la moitié de la quantité dans le bol du mélangeur; couvrir et mélanger jusqu'à homogène. Verser dans un grand bol. Répéter l'opération avec l'autre moitié du mélange. Ajouter la vraie mayonnaise. Couvrir; refroidir toute la nuit. Garnir de ciboulette hachée. Donne environ 1 L.

SOUPE FROIDE AU ZUCCHINI

1 boîte de 10 onces de bouillon
  de poulet
3 zucchinis en tranches
2 oignons moyens, hachés
1 gousse d'ail tranchée
¼ c. à thé de sel
1 tasse de vraie mayonnaise
  Hellmann's
1 c. à thé de jus de citron
¼ c. à thé de muscade

Mettre les 5 premiers ingrédients dans une casserole de 3 pintes. Amener à ébullition sur feu vif. Réduire la chaleur à feu bas. Couvrir et mijoter pendant 10 minutes ou jusqu'à tendreté des légumes; refroidir. Mettre la moitié à la fois dans le bol du mélangeur et battre pour rendre lisse. Mettre dans un grand bol. Ajouter les autres ingrédients. Couvrir et refroidir toute la nuit. Garnir de tranches de citron. Donne environ 4 tasses.

De haut en bas: *Bisque de tomate, Vichyssoise, Soupe froide au zucchini.*

3.

LES SAUCES À SALADE

Rapidement et sans effort, on peut les préparer soi-même et donner aux salades, la touche personnelle et la saveur particulière qu'on recherche.

La vraie mayonnaise Hellmann's procure la base idéale pour toutes sortes de sauces. Son goût subtil complémente parfaitement celui des herbes, des épices et d'autres assaisonnements; elle deviendra claire, lisse et facile à verser si on lui ajoute du vinaigre de vin ou de cidre, ou du jus de citron.

Ce livre contient un choix intéressant de sauces pour accompagner n'importe quelle salade; aux fruits de mer, aux fruits, la petite salade de tous les jours ou celles des réceptions.

La vraie mayonnaise Hellmann's donnera à toutes les sauces, un goût qu'on ne trouve ni dans les magasins, ni dans une bouteille. Vous aimerez les préparer selon vos besoins et les garder dans le réfrigérateur, dans des pots vides de mayonnaise. Dès que vous aurez goûté la saveur unique de vos propres sauces, vous ne voudrez plus acheter les sauces toutes faites.

Préparez-en de toutes les sortes... vous verrez qu'un seul pot de vraie mayonnaise Hellmann's vous en procurera plusieurs.

27

SAUCES VARIÉES

VINAIGRETTE CRÉMEUSE À LA RUSSE

1 tasse de vraie mayonnaise
  Hellmann's
⅓ tasse de sauce chili ou ketchup
2 c. à thé de jus de citron
1½ c. à thé de sucre

Mélanger ensemble tous les ingrédients.
Couvrir; réfrigérer. Donne 1⅓ tasse.

VINAIGRETTE MILLE ILES

1 tasse de vraie mayonnaise
  Hellmann's
⅓ tasse de sauce chili ou ketchup
3 c. à table de relish sucrée
1 oeuf cuit dur haché

Mélanger ensemble tous les ingrédients.
Couvrir; réfrigérer. Donne 1½ tasse.

VINAIGRETTE CRÉMEUSE À LA FRANÇAISE

1 tasse de vraie mayonnaise
  Hellmann's'
2 c. à table de sucre
2 c. à table de vinaigre de cidre
1 c. à table de lait
1 c. à thé de paprika
½ c. à thé de moutarde en poudre
¼ c. à thé de sel
1 gousse d'ail, émincée
  (si désiré)

Mélanger ensemble tous les ingrédients.
Couvrir; réfrigérer. Donne 1¼ tasse.

SAUCE CRÉMEUSE À L'ITALIENNE

1 tasse de vraie mayonnaise
  Hellmann's
½ petit oignon
2 c. à table de vinaigre de vin
  rouge
1 c. à table de sucre
¾ c. à thé d'assaisonnements
  italiens
¼ c. à thé de sel
¼ c. à thé de sel ou de poudre
  d'ail
⅛ c. à thé de poivre

Mettre tous les ingrédients dans un mélangeur. Mélanger. Couvrir; réfrigérer.
Donne 1¼ tasse.

n haut: *Vinaigrette crémeuse à la Russe, Vinaigrette Mille Iles.*
n bas: *Sauce crémeuse au fromage bleu, Vinaigrette crémeuse à la française, Sauce crémeuse
l'italienne.*

SAUCE CRÉMEUSE FROMAGE BLEU

1	tasse vraie mayonnaise Hellmann's
3	c. à table de lait
2	c. à table de vin blanc sec ou jus de citron
2	c. à thé de sucre
¼	c. à thé de sel
¼	c. à thé de moutarde en poudre
⅛	c. à thé d'ail en poudre
4	oz fromage bleu émietté

Mettre les 7 premiers ingrédients et la moitié du fromage dans le mélangeur; couvrir et bien mélanger. Ajouter le reste de fromage. Mélanger. Couvrir; réfrigérer. Donne 1½ tasse.

SAUCE AU LAIT DE BEURRE

250	mL de vraie mayonnaise Hellmann's
250	mL de lait de beurre
2	mL de flocons de persil écrasé
1	mL de poivre
0.5	mL de poudre d'ail
0.5	mL de poudre d'oignon

Mélanger ensemble tous les ingrédients. Couvrir; réfrigérer. Donne 500 mL.

SAUCE CÉSAR

1 tasse de vraie mayonnaise Hellmann's
3 c. à table de lait
2 c. à table de vinaigre de cidre
2 c. à table de fromage parmesan râpé
½ c. à thé de sucre
⅛ c. à thé de poudre d'ail

Mélanger ensemble les ingrédients. Couvrir; réfrigérer. Donne 1¼ tasse.

SAUCE CRÉMEUSE AU CÉLERI

1 tasse de vraie mayonnaise Hellmann's
3 c. à table de sucre
3 c. à table de vinaigre de cidre
1 c. à table de lait
1 c. à thé de sel
¼ c. à thé de moutarde en poudre
¼ c. à thé de graines de céleri

Mélanger ensemble tous les ingrédients. Couvrir; réfrigérer. Donne 1¼ tasse.

SAUCE PIQUANTE

1 tasse de vraie mayonnaise Hellmann's
⅛ c. à thé de piments broyés
2 c. à table de vinaigre blanc
1 c. à table de lait
2 c. à thé d'oignon émincé
1 c. à thé de sucre
¼ c. à thé de sel

Mêler ensemble tous les ingrédients. Couvrir et refroidir. Donne 1½ tasse.

Parfaite sur de la laitue et des quartiers de tomates.

SAUCE CRÉMEUSE À L'AIL

1 tasse de vraie mayonnaise Hellmann's
3 c. à table de lait
2 c. à table de vinaigre de cidre
1 gousse d'ail, moyenne, écrasée
½ c. à thé de sucre
¼ c. à thé de sel
⅛ c. à thé de poivre

Mélanger ensemble tous les ingrédients. Couvrir; réfrigérer. Donne 1 tasse.

SAUCES AUX FRUITS

SAUCE AVEC SORBET

1 **tasse de vraie mayonnaise Hellmann's**
1 **tasse de sorbet à l'orange, lime ou framboise.**

Mélanger ensemble tous les ingrédients.
Couvrir; réfrigérer. Donne 2 tasses.

SAUCE AU YOGOURT FRUITÉ

½ **tasse de vraie mayonnaise Hellmann's**
1 **contenant (175 g) de yogourt fruité**

Incorporer la mayonnaise au yogourt.
Couvrir; réfrigérer. Donne 1½ tasse.

SAUCE À SALADE ÉPICÉE

250 **mL de vraie mayonnaise Hellmann's**
50 **mL de moutarde brune épicée**
50 **mL de jus de pamplemousse**
2 **gousses d'ail émincées**
30 **mL sucre**
0.5 **mL de poivre**

Mélanger ensemble tous les ingrédients.
Couvrir et refroidir.
Donne environ 375 mL.

Une façon différente de servir une salade d'avocat ou une assiette de viandes froides.

SAUCE HAWAÏENNE

1 **tasse de vraie mayonnaise Hellmann's**
½ **tasse de gelée de groseilles rouges**
2 **c. à table de ketchup**
1 **c. à table de jus de citron**

Mettre tous les ingrédients dans le mélangeur. Mélanger. Couvrir; réfrigérer. Donne 1½ tasse.

En haut: *Sauce Hawaïenne, Sauce au yogourt fruité.* En bas: *Sauce avec sorbet*

LÉGUMES VERTS

SAUCE BIJOU

½ **tasse de vraie mayonnaise Hellmann's**
½ **tasse de crème sûre**
¼ **tasse de radis hachés**
¼ **tasse d'échalottes hachées**
2 **c. à table de lait**
1 **c. à thé de moutarde préparée**

Mélanger ensemble tous les ingrédients. Couvrir; réfrigérer. Donne 1½ tasse.

SAUCE À SALADE AU FROMAGE COTTAGE

125 **mL de vraie mayonnaise Hellmann's**
125 **mL de fromage cottage**
50 **mL piment vert émincé**
50 **mL radis émincé**
5 **mL oignon émincé**
1 **mL paprika**
1 **mL poivre**
3 **gouttes de sauce au piment**

Mélanger ensemble tous les ingrédients. Couvrir et refroidir. Donne environ 350 mL.

Une sauce nourrissante pour de simples salades.

SAUCE AIGRE-DOUCE

1 **tasse de vraie mayonnaise Hellmann's**
3 **c. à table de vinaigre de cidre**
2 **c. à table de sucre**
1 **c. à table de lait**
¼ **c. à thé de moutarde en poudre**
¼ **c. à thé de sel**

Mélanger ensemble tous les ingrédients. Couvrir; réfrigérer. Donne 1¼ tasse.

SAUCE À LA MUSCADE

⅔ **tasse de vraie mayonnaise Hellmann's**
2 **c. à table de sucre**
½ **c. à thé de muscade moulue**
¼ **c. à thé de sel**
1 **tasse de yogourt nature ure**

Mélanger ensemble les 4 premiers ingrédients. Ajouter le yogourt. Mélanger. Couvrir; réfrigérer. Donne 1⅔ tasse.

Salade d'épinards accompagné de Sauce à la muscade

SAUCES POUR FRUITS DE MER

SAUCE LOUIS

1 tasse de vraie mayonnaise
  Hellmann's
½ tasse de sauce chili
1 c. à table de persil haché
1 c. à thé de jus de citron
1 c. à thé de raifort préparé
½ c. à thé d'oignon râpé
⅛ c. à thé de sel
⅛ c. à thé de poivre

Mélanger ensemble tous les ingrédients.
Couvrir; réfrigérer. Donne 1½ tasse.

SAUCE VERTE

250 mL de vraie mayonnaise
    Hellmann's
125 mL de feuilles d'épinards
  5 branches de cresson
  ½ petit oignon
  1 gousse d'ail
 15 mL jus de citron
  5 mL sucre

Mettre tous les ingrédients dans le bol du
mélangeur. Couvrir. Brasser jusqu'à lisse.
Couvrir; refroidir. Donne 300 mL.

*Une belle sauce pour garnir tranches de
tomates ou poisson poché.*

SAUCE VERTE ONCTUEUSE

1 tasse de vraie mayonnaise
  Hellmann's
½ tasse de brins de persil
2 échalottes hachées
2 c. à table de vinaigre à
  l'estragon
2 c. à thé de sucre
¼ c. à thé de sel
¼ c. à thé de moutarde en poudre
⅛ c. à thé d'ail en poudre

⅛ c. à thé de poivre
½ tasse de yogourt ordinaire

Mettre les 9 premiers ingrédients dans le
mélangeur. Couvrir; mélanger. Ajouter
le yogourt. Couvrir; réfrigérer. Donne
1½ tasse.

4.

LES SALADES

«Les salades sont si attrayantes, qu'il est parfois difficile de dire si on les prépare pour leurs qualités nutritives ou pour leurs qualités décoratives.

... auteur anonyme

Peu de mets sont aussi appropriés à tout genre de repas qu'une salade. Elle peut se composer d'une infinité d'aliments et se mélanger à n'importe lequel. Aussi bien à du fromage et de la viande, comme dans la Salade du Chef, qu'à des pommes et des noix, comme dans la Salade Waldorf.

Elles prennent aussi différentes formes; remuée, mélangée, étagée, en pain, en gelée ou en mousse; vous les trouverez toutes dans ce livre - vous trouverez même une salade dans une pomme de salade! Pour un repas à l'improviste ou pour une réception, elle est toujours sûre de plaire. Mélanger les goûts, les couleurs, les textures, au gré de votre fantaisie, les résultats sont garantis.

De plus, la vraie mayonnaise Hellmann's est le complément idéal à toute salade. Depuis qu'elle a été inventée, elle fait partie des aliments favoris; elle est utilisée pour créer des nouvelles recettes et souvent de la façon la plus inattendue. Essayez toutes les recettes, elles sont aussi bonnes, que faciles.

LA TABLE À PIQUE-NIQUE

SALADE DE CHOU AU MIEL

½ tasse de vraie mayonnaise Hellmann's
2 c. à table de miel
½ c. à thé de zeste de citron râpé
2 c. à table de jus de citron
½ c. à thé de sel
¼ c. à thé de gingembre moulu
2 tasses de chou rouge en lanières
2 tasses de chou blanc en lanières

Dans un bol moyen, mélanger les 6 premiers ingrédients. Ajouter le chou; mêler pour bien enrober. Couvrir; refroidir pendant au moins 2 heures. Donne environ 4 tasses.

La saveur de la sauce en fait toute la différence.

SALADE DE POMMES DE TERRE A L'ANCIENNE

½ tasse de vraie mayonnaise Hellmann's
½ tasse d'oignon émincé
1 c. à table de vinaigre
½ c. à thé de sel
⅛ c. à thé de poivre
1 oeuf cuit dur, haché
1½ livres de pommes de terre cuites, en cubes, environ 3 tasses
1 tasse de céleri tranché
paprika

Dans un bol moyen, mélanger les 6 premiers ingrédients. Ajouter les pommes de terre et le céleri; mêler pour bien enrober. Couvrir; refroidir au moins 4 heures. Saupoudrer de paprika. Donne environ 4 tasses.

Pour une plus grande quantité, doubler la recette.

SALADE DE MACARONI-MANDARINES

1 tasse de vraie mayonnaise Hellmann's
2 c. à table de lait
2 c. à table de jus de citron
1 c. à table de sucre
½ c. à thé de sel
1½ tasse de macaroni en coudes (6 oz) cuit, égoutté
1 boîte (11 oz) d'oranges-mandarines en sections bien égouttées

1 pomme moyenne rouge en dés
1 tasse de céleri en tranches

Dans un grand bol, mélanger les 5 premiers ingrédients. Ajouter les autres ingrédients; remuer pour bien enrober. Couvrir; refroidir pendant au moins 2 heures. Donne environ 5 tasses.

Disposer sur un lit de laitue et garnir d'amandes en tranches.

De haute en bas: *Salade de chou citron-miel, Salade de pommes de terre à l'ancienne, Salade macaroni-mandarines.*

SALADE DE MACARONI

1 tasse de vraie mayonnaise
  Hellmann's
3 c. à table de jus de citron
1½ c. à thé de sucre
1½ c. à thé de moutarde en poudre
½ c. à thé de sel
  pincée de poudre d'ail
2 tasses de macaroni en coudes
  (8 oz) cuit, égoutté
3 tasses de chou en lanières
1 tasse de carottes en lanières
  fines
½ tasse de poivron vert haché
¼ tasse d'oignon émincé

Dans un grand bol, mélanger les 6 premiers ingrédients. Ajouter les ingrédients qui restent et mêler pour bien enrober. Couvrir; refroidir pendant au moins 2 heures. Donne 8 tasses.

SALADE DE CHOU CHAMPÊTRE

½ tasse de vraie mayonnaise
  Hellmann's
2 c. à table de sucre
2 c. à table de vinaigre de cidre
½ c. à thé de sel
¼ c. à thé de moutarde en poudre
⅛ c. à thé de graines de céleri
4 tasses de chou haché gros
¾ tasse de carottes râpées
½ tasse de poivron vert en dés
2 c. à table d'échalottes
  tranchées

Dans un bol moyen, mélanger les 6 premiers ingrédients. Ajouter les autres ingrédients; mêler pour bien enrober. Couvrir et refroidir au moins 2 heures. Donne 4 tasses.

SALADE CONSISTANTE AUX POMMES DE TERRE

¾ tasse de vraie mayonnaise
  Hellmann's
2 c. à table de lait
1 c. à table de moutarde préparée
1 c. à table de vinaigre de cidre
½ c. à thé de sel
1 livre de pommes de terre,
  cuites, pelées, en dés (environ 2 tasses)
8 onces de pain de viande en
  conserve, coupé en lanières
4 onces de fromage suisse, coupé
  en laniéres

¼ tasse d'échalottes tranchées
¼ tasse de radis tranchés
¼ tasse de piment vert haché
1 oeuf cuit dur, en dés

Dans un grand bol, mélanger les 5 premiers ingrédients. Ajouter les autres ingrédients; remuer soigneusement pour enrober. Couvrir; refroidir au moins 4 heures. Donne 6 tasses.

Peut même servir de repas.

SALADE AU RIZ ET AUX LÉGUMES

175 mL de vraie mayonnaise Hellmann's
30 mL de vinaigre de cidre de pommes
15 mL d'oignon émincé
1 petite gousse d'ail émincée
2 mL de sel
1 mL de poivre
700 mL de riz cuit
1 carotte râpée
1 piment vert en dés

Dans un bol moyen, mélanger ensemble les 6 premiers ingrédients. Ajouter les autres ingrédients; remuer pour bien enrober. Couvrir; refroidir au moins 2 heures pour que les saveurs se mêlent. Donne 900 mL.

SALADE ESTIVALE AU MACARONI

½ tasse de vraie mayonnaise Hellmann's
1 c. à thé de moutarde préparée
¼ c. à thé de sel
⅛ c. à thé de poivre
1 tasse (4 oz) de macaroni en coudes, cuit, égoutté
½ livre de saucisses fumées tranchées
¼ tasse de fromage canadien en cubes
¼ tasse d'échalottes tranchées (facultatif)

Dans un grand bol, mêler les 4 premiers ingrédients. Ajouter les autres ingrédients; mélanger pour enrober. Couvrir; refroidir au moins 2 heures. Donnes 4 tasses.

Pour en repas en plein air.

POMMES DE TERRE ET JAMBON EN PAIN

4 tasses de jambon cuit haché (environ 1½ lb)
¾ tasse de vraie mayonnaise Hellmann's
½ tasse de cornichons sucrés en dés
½ tasse de céleri en dés
3 c. à table de liquide des cornichons
2 c. à thé de moutarde préparée
½ c. à thé de sel
2½ livres de pommes de terre cuites, pelées, en dés (5 tasses environ)

Tapisser un moule à pain (9 x 5 x 3 pouces) de papier ciré. Dans un bol moyen, mélanger le jambon et ½ tasse de vraie mayonnaise. Presser uniformément dans le fond du moule. Dans un grand bol, mélanger ¼ tasse de vraie mayonnaise et les 5 ingrédients suivants. Ajouter les pommes de terre; mêler légèrement pour bien enrober. Ajouter à la cuiller, sur le jambon dans le moule et presser légèrement pour une couche uniforme. Couvrir et refroidir au moins 4 heures. Démouler; enlever le papier ciré. Donne 6 portions.

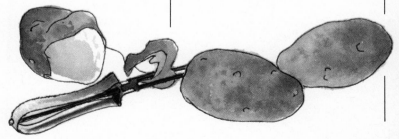

POUR UN BON ACCUEIL

SALADE SAVOUREUSE AUX CREVETTES

1 tasse de vraie mayonnaise Hellmann's
½ tasse d'échalottes hachées
½ tasse de persil haché
2 c. à table de jus de citron
1 c. à thé de sucre
¼ c. à thé de sel
1 livre de crevettes, cuites, nettoyées, refroidies

Dans un petit bol, mélanger les 6 premiers ingrédients. Couvrir; refroidir au moins 2 heures. Servir les crevettes et la sauce sur des sections d'avocat et de tomate. Garnir de tranches de citron. Donne 4 portions.

Cette sauce aux herbes en fait une salade différente.

SALADE AU POULET ET GINGEMBRE

½ tasse de vraie mayonnaise Hellmann's
¼ tasse de crème sure
1 c. à table de sucre
½ c. à thé de zeste de citron râpé
1 c. à table de jus de citron
½ c. à thé de gingembre moulu
¼ c. à thé de sel
2 tasses de poulet cuit en dés
1 tasse de raisins verts sans pépins
1 tasse de céleri en tranches

Dans un grand bol, mélanger les 7 premiers ingrédients. Ajouter le poulet, les raisins et le céleri; mêler pour enrober. Couvrir et refroidir au moins pendant 2 heures. Servir dans des moitiés de cantaloup; garnir de tranches d'amandes, de feuilles de menthe et de fraises fraîches. Donne 4 portions.

MOITIÉS D'ANANAS GARNIES

1 tasse de vraie mayonnaise Hellmann's
1 c. à table de miel
2 c. à thé de moutarde préparée
2 petits ananas coupés en moitiés
1 boîte d'abricots en moitiés (14 oz), égouttés, coupés en deux
2 tasses de jambon cuit en dés
⅓ tasse de raisins
½ tasse d'amandes blanches tranchées, rôties

Mélanger la mayonnaise, le miel et la moutarde; mettre de côté. Evider les moitiés d'ananas en laissant ½ pouce d'épaisseur de coquille. Couper la chair d'ananas en morceaux. Dans un grand bol, mélanger l'ananas, les abricots, le jambon, les raisins et ¼ tasse des amandes. Remplir les coquilles vides d'ananas avec ce mélange. Verser la mayonnaise sur le dessus. Garnir avec les amandes qui restent. Donne 4 portions.

SALADES EN GELÉE

FRUITS À LA GELÉE ROSE

2¼ tasses d'eau bouillante
2 sachets de gelatine à saveur
de fraises (3 oz chaque)
½ tasse de vraie mayonnaise
Hellmann's
1 paquet de fromage à la crème
refroidi (125 g)
¾ tasse d'eau froide
2 tasses de fraises en tranches
(environ ½ chopine)
1 boîte d'oranges mandarine
(10 oz) égouttées
1 grosse banane, tranchées
(1½ tasse)

Verser 1¼ tasse d'eau bouillante sur 1 paquet de gelée à la saveur de fraise. Brasser pour dissoudre. Mettre dans un bol du mélangeur avec la mayonnaise et le fromage à la crème. Couvrir. Mélanger à vitesse moyenne pour rendre lisse. Verser dans un bol. Refroidir en brassant de temps en temps, jusqu'à léger épaississement.

Pendant ce temps, verser 1 tasse d'eau bouillante sur le reste de gelatine; remuer pour dissoudre. Ajouter l'eau froide. Refroidir en brassant de temps en temps jusqu'à ce que le mélange soit uniformément épaissi.

Verser le mélange de fromage à la crème dans un moule de 6 tasses. Refroidir jusqu'à ferme. Pendant ce temps, incorporer les fruits dans la gelée claire; mettre à la cuillère sur le mélange de fromage à la crème. Refroidir au moins 3 heures ou jusqu'à ferme. Démouler. Donne 6 à 8 portions.

MOUSSE AU SAUMON

500 mL eau bouillante
1 paquet (6 oz) de gélatine au
citron
325 mL vraie mayonnaise
Hellmann's
250 mL eau froide
30 mL jus de citron
2 boîtes (7¾ oz) de saumon rose
ou rouge en flocons, égoutté
30 mL oignon émincé
5 mL graines d'aneth

Verser l'eau bouillante sur la gélatine; brasser pour dissoudre. Ajouter la vraie mayonnaise, l'eau froide et le jus de citron; battre au malaxeur ou au fouet jusqu'à lisse. Verser dans un moule en métal (23 cm x 23 cm x 5 cm). Refroidir pendant 30 minutes; à peu près 2 cm du bord du moule sera pris, mais le centre sera mou.

En attendant, mélanger ensemble le saumon, l'oignon et l'aneth; mettre de côté. Avec une cuiller transférer la gélatine dans un grand bol; battre rapidement jusqu'à mousseux. Ajouter le mélange au saumon et brasser; mettre dans un joli moule de 1.5 L. Couvrir et refroidir au moins pendant 4 heures ou jusqu'à ferme. Démouler. Donne 6 à 8 portions.

Un assaisonnement délicat rehausse la saveur de saumon de cette mousse.

De haut en bas: *Fruits à la gelée rose, Mousse au saumon, Légumes à la gelée 3 couleurs*

LÉGUMES À LA GELÉE "3 COULEURS"

3 tasses d'eau bouillante
3 sachets (3 oz chacun) de gélatine à saveur de citron
2 tasses d'eau froide
¼ tasse de vinaigre
½ c. à thé de sel
2 tasses de carottes râpées
½ tasse de vraie mayonnaise Hellmann's
1½ tasse de chou haché
2 tasses d'épinards frais hachés gros
1 c. à thé d'oignon râpé

Dans un moyen bol, verser l'eau bouillante sur la gélatine; brasser pour dissoudre. Ajouter l'eau froide, le vinaigre et le sel.

Mesurer 1¾ tasse de gélatine dans un petit bol; mettre le reste de côté. Déposer le bol dans un autre grand bol avec de la glace et l'eau. Remuer la gélatine jusqu'à ce qu'elle soit uniformément épaisse. Ajouter les carottes; avec une cuiller mettre dans un moule de 8 tasses; refroidir jusqu'à partiellement ferme.

Pendant ce temps, mesurer 1½ tasse de gélatine dans un petit bol. Au mélangeur ou au fouet, ajouter la mayonnaise en brassant; mettre sur la glace et brasser jusqu'à lisse et uniformément épais. Ajouter le chou; mettre à la cuiller par dessus le rang de carottes. Refroidir jusqu'à partiellement ferme.

Pendant ce temps, mettre la gélatine qui reste sur la glace et brasser jusqu'à ce qu'elle soit uniformément épaisse. Ajouter les épinards et l'oignon; mettre à la cuiller par dessus la rangée de chou. Refroidir au moins 4 heures ou jusqu'à ferme. Démouler. Donne 10 portions.

POULET À LA GELÉE

1 sachet de gelatine neutre
½ tasse d'eau froide
1 cube de bouillon de poulet
1 tasse de vraie mayonnaise Hellmann's
2 tasses de poulet cuit haché gros
1 tasse de crème sure
¾ tasse de noix d'acajou hachées
¼ tasse de persil haché
2 c. à table de jus de citron

Dans une petite casserole, saupoudrer la gélatine sur l'eau; ajouter le bouillon de poulet. Brasser sur feu doux pour dissoudre. Ajouter la vraie mayonnaise; battre au batteur ou au fouet jusqu'à lisse. Verser dans un moule de 9x5x3 pouces. Mettre au congélateur pour 20 minutes ou jusqu'à ferme sur 1 pouce du bord, mais mou au centre.

Avec une cuiller, mettre dans un grand bol; battre à grande vitesse pour mousser. Ajouter les ingrédients qui restent. Mettre à la cuiller dans un moule en forme de couronne de 6 tasses. Couvrir; refroidir pendant au moins 4 heures ou jusqu'à ferme. Démouler. Donne 6 à 8 portions.

Remplir le centre de tomates naines, pour une présentation attrayante.

SALADE AUX FRUITS EN GELÉE

1 boîte (14 oz) d'ananas écrasés
1 boîte (6½ oz) de sauce aux
  canneberges en gelée
1 paquet (3 oz) de gélatine à
  saveur d'orange
½ tasse de ginger ale froid ou
  eau froide
½ tasse de vraie mayonnaise
  Hellmann's
1 c. à table de jus de citron
¼ c. à thé de sel
1 pomme rouge, pelée et en dés
¼ tasse de noix hachées

Egoutter l'ananas et garder ⅔ tasse du jus. Dans une petite casserole sur feu moyen, mettre le jus et la sauce aux canneberges et brasser pour faire fondre. Verser sur la gélatine et brasser pour la dissoudre. Ajouter les 4 prochains ingrédients; battre au malaxeur ou au fouet jusqu'à lisse. Verser dans un moule en métal (9x5x3 pouces). Mettre au congélateur pendant 30 minutes ou jusqu'à ce que le mélange soit pris sur un pouce du bord; le centre sera mou.

Transférer tout le mélange dans un grand bol; battre rapidement pour rendre mousseux. Ajouter l'ananas et les autres ingrédients. A l'aide d'une cuiller, mettre dans un moule de 4 tasses. Couvrir; refroidir pendant au mois 3 heures ou jusqu'à ferme. Donne 8 portions.

YOGOURT AUX FRUITS À LA GELÉE

1 boîte de salade aux fruits
  (30 oz)
1 sachet de gélatine neutre
½ tasse de vraie mayonnaise
  Hellmann's
1 paquet de 15 oz de fraises
  sucrées surgelées,
  décongelées et écrasées
½ tasse de sirop de maïs
1 tasse de yogourt nature

Egoutter la salade aux fruits et mettre ½ tasse du sirop dans une casserole de 2 pintes; saupoudrer le sachet de gélatine. Chauffer sur feu moyen et brasser pour dissoudre. Ajouter la mayonnaise; battre au mélangeur ou au fouet jusqu'à lisse. Ajouter les fraises et le sirop de maïs. Refroidir pour épaissir légèrement, en brassant une ou deux fois. Ajouter les fruits et le yogourt. Mettre à la cuiller dans un moule à pain de 9x5x3 pouces. Couvrir; mettre au congélateur pendant 6 heures ou jusqu'à ferme. Démouler. Laisser à la température de la pièce pendant 10 minutes, pour trancher plus facilement. Donne 8 portions.

SALADES D'HIVER

SALADE AUX HARICOTS À L'ITALIENNE

1   sachet de mélange de
    vinaigrette à l'italienne
¼ tasse de vinaigre de cidre
1   paquet de 9 onces de haricots
    congelés, cuits et égouttés
1   boîte de 14 onces de pois
    chiches égouttés
1   boîte de 7 onces d'olives noires
    dénoyautées, égouttées
1   tasse de céleri en tranches
1   petit oignon rouge, tranché
    mince
½ tasse de vraie mayonnaise
    Hellmann's

Dans un bol moyen, mélanger le vinaigre et le mélange de vinaigrette. Ajouter les 5 ingrédients suivants et mêler pour bien enrober. Couvrir et refroidir toute la nuit. Juste avant de servir, ajouter la mayonnaise et remuer. Donne 6 à 8 portions.

Une version plus crémeuse de cette salade favorite.

SALADE AMBROISIE

1   contenant de yogourt nature
    ou vanille (175 g)
½ tasse de vraie mayonnaise
    Hellmann's
1   boîte de cocktail de fruits
    (28 oz) bien égoutté
1   boîte de 10 oz de morceaux
    d'ananas bien égouttés
½ tasse de noix de coco en
    filaments
½ tasse de raisins

Dans un grand bol, mêler le yogourt et la mayonnaise. Ajouter les autres ingrédients et mêler. Couvrir et refroidir au moins 2 heures. Donne 6 portions.

Le yogourt remplace la crème sûre pour donner d'autant plus de saveur.

SALADE WALDORF

½ tasse de vraie mayonnaise
    Hellmann's
1   c. à table de sucre
1   c. à table de jus de citron
⅛ c. à thé de sel
3   pommes rouges moyennes,
    en dés
1   tasse de céleri tranché
½ tasse de noix hachées

Dans un bol moyen, mélanger la vraie mayonnaise, le sucre, le jus de citron et le sel. Ajouter les pommes et le céleri; mélanger pour bien enrober. Couvrir; refroidir au moins 2 heures. Parsemer de noix au moment de servir. Donne environ 5½ tasses.

Idéal avec le poulet, dinde ou jambon.

SALADES PRÉPARÉES D'AVANCE

SALADE FIESTA

125	mL vraie mayonnaise Hellmann's·
125	mL crème sûre
125	mL échalotte hachée
125	mL persil haché
15	mL jus de citron
15	mL aneth frais haché ou 5 mL d'aneth séché
2	mL sel
5	mL sucre
2	zucchinis, en tranches minces
1	boîte (14 oz) de haricots rouges bien égouttés
125	mL champignons, tranchés fin
500	mL laitue coupée en lanières

Mélanger ensemble les 8 premiers ingrédients; mettre de côté. Dans un bol à salade de 2 L en verre, mettre tout le zucchini; ajouter ¼ du mélange de vraie mayonnaise par dessus. Ajouter tous les haricots et tous les champignons par dessus, puis la laitue et le reste de sauce. Couvrir; refroidir au moins 2 heures. Garnir de tranches de radis et d'aneth fraîche. Mêler juste avant de servir. Donne 8 portions.

Un arrangement original de délicieux légumes.

LAITUE POMMÉE FARCIE AU FROMAGE

1	paquet de fromage à la crème (250 g) ramolli
¾	tasse de vraie mayonnaise Hellmann's
½	tasse d'olives farcies hachées
2	c. à table d'échalotte hachée
1	pomme de laitue, moyenne
¼	tasse de ketchup
2	c. à table de vinaigre de cidre
¾	c. à thé de poudre chilienne quelques gouttes de sauce au piment

Dans un petit bol du malaxeur à vitesse moyenne, battre le fromage à la crème pour le rendre léger et mousseux. Ajouter ¼ tasse de mayonnaise, les olives et les échalottes. Enlever le coeur de la laitue en laissant un bon pouce d'épaisseur. remplir du mélange au fromage. Envelopper dans du saran ou du papier aluminium. Mélanger la ½ tasse de mayonnaise qui reste et les autres ingrédients; couvrir. Refroidir la laitue et la sauce toute la nuit. Couper en 6 morceaux triangulaires. Garnir de sauce. Donne 6 portions.

Une salade originale qui peut se préparer d'avance.

5.

LES PLATS PRINCIPAUX

Autrefois, un bon repas se composait simplement de viande et de pommes de terre. Heureusement de nos jours, parce que le choix des aliments est si grand, la composition du menu et du plat principal se décide rapidement.

Que ce soit pour une recette avec du poulet, du poisson ou des pâtes, la mayonnaise Hellmann's saura apporter à vos plats principaux, toute la saveur et la texture que vous recherchez.

LA VOLAILLE

POULET GLACÉ AUX FRUITS

1	pot de 24 oz de fruits pour salade
1	paquet de mélange à farce aux herbes
50	mL de vraie mayonnaise Hellmann's
3	poitrines de poulet, divisées en deux (1.5 kg)
2	mL de sel
125	mL de marmelade d'oranges, fondue

Mêler le mélange à farce avec la mayonnaise. A la cuiller, mettre dans le fond d'un plat oblong pour le four. Mettre le poulet sur la farce, la peau à l'extérieur. Assaisonner de sel. Cuire au four à 190°C pendant 45 minutes. Retirer du four. Disposer les fruits autour du poulet. Avec une brosse, appliquer la marmelade sur le tout. Cuire encore 15 minutes ou jusqu'à doré et glacé. Donne 6 portions.

Si un plat en verre est utilisée, diminuer la chaleur à 180°C.

Micro-ondes: Préparer la moitié de la recette. Dans un plat en verre micro-perméable, disposer le poulet de façon à ce que le plus épais du poulet soit placé vers le bord du plat. Couvrir de papier ciré. Cuire à haute intensité pendant 10 minutes. Enlever du four; ajouter les fruits et la marmelade. Cuire à découvert pendant 8 à 10 minutes. Laisser reposer 5 minutes.

POULET EN DÉS AU FOUR

2	c. à table de margarine
1	tasse de céleri tranché fin
½	tasse d'oignon haché
½	tasse de vraie mayonnaise Hellmann's
½	tasse de crème sûre
1	c. à table de jus de citron
½	c. à thé de sel
⅛	c. à thé de poivre
2	tasses de poulet cuit en cubes
½	tasse d'amandes rôties tranchées minces
1	boîte (4.5 oz) de champignons en tranches, égouttés
¼	tasse de croustilles de pommes de terre écrasées

Dans un grand poêlon, faire fondre la margarine sur feu moyen. Ajouter le céleri et l'oignon; cuire pendant 4 minutes ou jusqu'à tendreté. Enlever de la chaleur. Ajouter les 5 ingrédients suivants et bien mélanger. Ajouter le poulet, les amandes et les champignons; bien mêler. Mettre dans un plat pour le four. Garnir de croustilles. Cuire au four à 325° pendant 25 à 30 minutes ou jusqu'à chaud. Donne 4 à 6 portions.

Micro-ondes: Dans un plat micro-perméable, faire fondre la margarine; ajouter le céleri et l'oignon. Cuire à haute intensité pendant 3 minutes. Ajouter les 5 ingrédients suivants en brassant; ajouter le poulet, les amandes et les champignons; bien mêler. Cuire à haute intensité pendant 5 minutes en brassant une fois. Garnir de croustilles après 3 minutes.

De haut en bas: *Poulet glacé aux fruits, Poulet en dés au four, Cuisses de poulet El Paso.*

DINDE À LA KING

3 c. à table de margarine
1 tasse d'oignon haché
1 tasse de céleri haché
¼ tasse de farine
¼ c. à thé de poivre
2 tasses de lait
3 cubes de bouillon de poulet
2 tasses de dinde cuite en dés
½ tasse de vraie mayonnaise
    Hellmann's
1 boîte de champignons tranchés
    égouttés (4.5 oz) (facultatif)
3 c. à table de piment rouge
    doux haché

Dans une casserole de 3 pintes, faire fondre la margarine sur feu moyen. Ajouter les oignons et le céleri; cuire pendant 4 minutes ou jusqu'à tendre. Ajouter la farine et le poivre. Ajouter graduellement le lait; ajouter le bouillon. Cuire en brassant jusqu'à ébullition. Ajouter les autres ingrédients et réchauffer en brassant. Donne 4 à 6 portions.

POULET FRIT AU FOUR

1 poulet à frire, coupé en
    morceaux
⅓ tasse de vraie mayonnaise
    Hellmann's
½ tasse de chapelure fine
    assaisonnée

Rincer les morceaux de poulet et assécher. Avec une brosse enduire de mayonnaise puis rouler dans la chapelure. Mettre dans une léchefrite avec la peau sur le dessus. Cuire à 400°F pendant 45 minutes ou jusqu'à tendre en piquant avec la fourchette.

Du poulet tendre et savoureux.

DINDE TETRAZZINI

2 c. à table de margarine
1 tasse de céleri tranché
½ tasse d'oignon haché
¼ tasse de farine
¼ c. à thé de sel
¼ c. à thé de poivre
2 tasses de lait
¼ tasse de sherry sec
¾ tasse de vraie mayonnaise
    Hellmann's
1 paquet (250 g) de spaghetti
    cuit, égoutté
2 tasses de dinde ou de poulet
    en dés, cuit
½ tasse de champignons
    tranchés, égouttés
⅓ tasse de fromage Parmesan
    râpé

Dans une casserole de 6 pintes, faire fondre la margarine sur feu moyen. Ajouter le céleri et l'oignon; cuire environ 4 minutes. Ajouter la farine, le sel et le poivre en brassant. Ajouter graduellement le lait et le sherry. Cuire en brassant jusqu'à ébullition. Retirer du feu. Ajouter les 4 ingrédients suivants en brassant. Mettre à la cuiller dans un plat (3 pintes) allant au four et cuire à 350°F pendant 15 minutes. Retirer du four. Garnir de fromage; remettre au four et cuire un autre 10 minutes à découvert. Donne 6 à 8 portions.

Micro-ondes: Dans un plat micro-perméable de 3 pintes, faire fondre la margarine à haute intensité. Ajouter le céleri et l'oignon; cuire pendant 3 minutes. Ajouter les 3 ingrédients suivants en brassant, puis le lait et le sherry. Cuire à haute intensité pendant 8 minutes ou jusqu'à épais, en brassant 2 fois pendant la cuisson. Ajouter les 4 ingrédients suivants. Couvrir; cuire à haute intensité pendant 8 autres minutes ou jusqu'à chaud, en remuant 2 fois pendant la cuisson. Garnir de fromage.

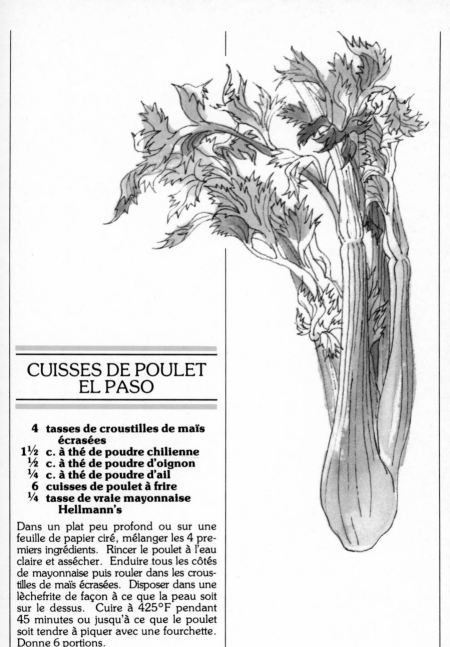

CUISSES DE POULET
EL PASO

4 tasses de croustilles de maïs écrasées
1½ c. à thé de poudre chilienne
½ c. à thé de poudre d'oignon
¼ c. à thé de poudre d'ail
6 cuisses de poulet à frire
¼ tasse de vraie mayonnaise Hellmann's

Dans un plat peu profond ou sur une feuille de papier ciré, mélanger les 4 premiers ingrédients. Rincer le poulet à l'eau claire et assécher. Enduire tous les côtés de mayonnaise puis rouler dans les croustilles de maïs écrasées. Disposer dans une lèchefrite de façon à ce que la peau soit sur le dessus. Cuire à 425°F pendant 45 minutes ou jusqu'à ce que le poulet soit tendre à piquer avec une fourchette. Donne 6 portions.

Micro-ondes: Mettre 3 cuisses dans un plat micro-perméable peu profond, de façon à ce que la partie la plus épaisse soit placée vers le bord du plat. Cuire à haute intensité pendant 20 minutes en tournant le plat après 10 minutes. Laisser reposer 5 minutes. Répéter l'opération pour les 3 autres cuisses.

LA POISSONNERIE

ROULADES DE POISSON

1 oignon moyen, tranché mince
4 filets de poisson frais
¼ c. à thé de sel
⅛ c. à thé de poivre
1 boîte de saumon (7¾ oz)
    égoutté, en flocons
½ tasse de vraie mayonnaise
    Hellmann's
½ tasse de crème sure
¼ tasse de sauce chili

Mettre l'oignon dans le fond d'une lèche-frite (8x8x2 pouces). Saupoudrer les filets de sel et de poivre. Déposer ¼ du saumon sur chaque filet. Rouler et mettre dans le plat côte à côte sur l'oignon. Couvrir et cuire au four à 350°F pendant 25 minutes, puis sortir au four. Mélanger les autres ingrédients de la recette et verser sur les filets. A découvert, remettre au four et cuire encore 5 à 10 minutes ou jusqu'à ce que le poisson soit cuit. Garnir de cresson et de tranches de citron. Décorer de crevettes cuites. Donne 4 portions.

Micro-ondes: Couvrir de papier ciré. Cuire à haute intensité pendant 7 à 8 minutes ou jusqu'à ce que le poisson soit cuit. Dans un petit bol micro-perméable, mélanger les autres ingrédients de la recette et cuire pendant 1 ou deux minutes pour réchauffer, en brassant 1 fois. Verser sur les filets.

QUICHE AU THON

1 croûte de tarte de 8 ou 9
    pouces non cuite
1 boîte (7 oz) de thon bien
    égoutté, en flocons
1 tasse de fromage suisse (4 oz)
    râpé
½ tasse d'échalottes en tranches
2 oeufs
½ tasse de vraie mayonnaise
    Hellmann's
½ tasse de lait

Piquer l'abaisse avec une fourchette, puis cuire au four à 375°F pendant 10 minutes; sortir du four.

Dans un grand bol, mélanger le thon, le fromage et les échalottes; mettre dans la croûte de tarte. Dans un petit bol, battre les autres ingrédients. Verser sur le mélange de thon. Cuire au four à 375°F pendant 35 à 40 minutes ou jusqu'à ce que la pointe d'un couteau insérée dans le centre en ressorte sèche. Donne 6 portions.

Pour varier, on peut utiliser ½ livre de boeuf haché maigre, cuit et égoutté.

TARTE AU THON

1 tasse de vraie mayonnaise
   Hellmann's
1 c. à table d'oignon râpé
2 c. à thé de jus de citron
1 c. à thé de sauce Worcestershire
½ c. à thé de sel
½ c. à thé de moutarde préparée
2 boîtes de 7 oz de thon, égoutté,
   en flocons
1 paquet de 10 oz de légumes
   mélangés congelés
½ tasse de céleri tranché
2 tasses de pommes de terre en
   purée

Mélanger ensemble ¾ tasse de vraie mayonnaise et les 5 ingrédients suivants. Ajouter le thon, les légumes et le céleri. Verser dans une croûte de tarte de 9 pouces. Cuire au four à 350°F pendant 15 à 20 minutes ou jusqu'à ce que le mélange soit bouillonnant. Retirer du four. Mélanger ensemble les pommes de terre et ¼ tasse de mayonnaise. Déposer autour du bord de la tarte. Griller à 4 pouces de la chaleur pendant 8 à 10 minutes ou jusqu'à ce que les pommes de terre soient dorées. Donne 4 portions.

Micro-ondes: Cuire à haute intensité pendant 4 minutes. Mélanger ensemble les pommes de terre et ¼ tasse de mayonnaise. Déposer autour du bord de la tarte. Saupoudrer ¼ c. à thé de paprika. Cuire à 50% intensité pendant 5 minutes ou jusqu'à chaud.

COQUILLE SAINT-JACQUES

½ tasse de panure fraîche
5 c. à table de margarine
1½ tasse de fromage Gruyère râpé
   (6 oz)
1 tasse de vraie mayonnaise
   Hellmann's
¼ tasse de vin blanc sec
1 c. à table de persil haché
1 livre de pétoncles coupés en
   quatre
½ livre de champignons en
   tranches
½ tasse d'oignon haché

Mélanger la panure avec 1 c. à table de margarine fondue; mettre de côté. Mélanger ensemble les 4 ingrédients suivants et mettre de côté. Dans un poêlon moyen, fondre 2 c. à table de margarine, cuire les pétoncles sur feu moyen jusqu'à ce qu'ils soient opaques. Enlever du poêlon et bien égoutter. Cuire les champignons et les oignons dans 2 c. à table de margarine pendant 3 minutes ou jusqu'à tendreté. Y ajouter le mélange de fromage et les pétoncles. Déposer à la cuiller dans des coquilles ou des ramequins. Couvrir de panure. Griller à 2 ou 4 pouces de la chaleur ou jusqu'à doré. Donne 6 portions.

Micro-ondes: Dans une assiette micro-perméable, cuire les pétoncles à haute intensité pendant 2 à 3 minutes ou jusqu'elles soient opaques, ne remuant qu'une fois. Retirer du four et bien égoutter. Dans une casserole micro-perméable, faire fondre 2 c. à table de margarine. Ajouter les champignons et l'oignon. Cuire 3 minutes. Jeter le liquide. Y ajouter le mélange de fromage et de pétoncles. Déposer à la cuiller dans 6 petits plats individuels. Disposer en rond dans le four. Cuire à haute intensité pendant 4 minutes ou jusqu'à chaud. Couvrir de panure.

POISSON GRATINÉ

¼ **tasse de chapelure fine**
¼ **tasse de fromage parmesan râpé**
1 **livre de filets de sole**
¼ **tasse de vraie mayonnaise Hellmann's**

Dans un plat peu profond ou une feuille de papier ciré, mélanger la chapelure et le fromage. Enduire les deux côtés des filets de mayonnaise puis recouvrir de chapelure. Disposer dans le plat et cuire au four à 375°F pendant 20 à 25 minutes ou jusqu'à dorés et cuits. Donne 4 portions.

Micro-ondes: Mettre les filets préparés dans un plat oval micro-perméable. Couvrir de papier ciré. Cuire à haute intensité pendant 6 ou 7 minutes ou jusqu'à ce que le poisson soit cuit.

DARNES DE SAUMON MARINÉ

4 **darnes de saumon, environ 1 cm d'épaisseur**
125 **mL vraie mayonnaise Hellmann's**
30 **mL jus de citron**
30 **mL oignon râpé**
15 **mL sauce soya**

Dans un plat à cuire de 25 cm x 23 cm x 5 cm, mélanger ensemble la vraie mayonnaise, le jus de citron, l'oignon et la sauce soya. Ajouter les darnes de poissons; les enrober complètement. Couvrir; refroidir pendant 1 heure. Chauffer le poêlon sur feu moyen. Egoutter le poisson. Cuire pendant 6 minutes en retournant 1 fois; le poisson se défait facilement en piquant à la fourchette. Donne 4 portions.

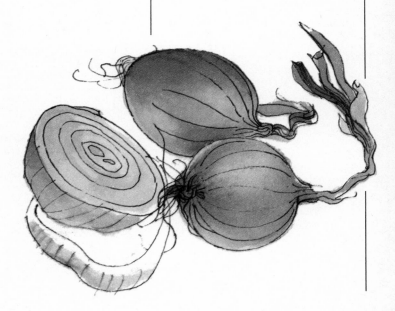

LES PÂTES

MACARONI À LA VIANDE

2 oeufs
⅓ tasse de fromage Parmesan
râpé
¼ c. à thé de muscade
Double recette de sauce
blanche
2 tasses de macaroni en coudes
(8 oz) cuit, égoutté
¾ livre de boeuf haché
½ tasse d'oignon haché
1 boîte de 5½ oz de pâte de
tomate
¼ c. à thé de cannelle

Dans un grand bol, battre ensemble les oeufs, le fromage et la muscade. Ajouter graduellement dans une sauce blanche chaude. Ajouter le macaroni; bien mélanger. Mettre de côté. Dans un poêlon, cuire l'oignon et le boeuf sur feu moyen jusqu'à ce que le boeuf soit bruni. Enlever l'excès de gras. Ajouter la pâte de tomate et la cannelle. Mettre la moitié du macaroni dans le fond du plat; couvrir de boeuf haché. Mettre le reste du macaroni sur le boeuf haché. Cuire au four à 350°F pendant 45 minutes ou jusqu'à ce qu'une lame de couteau insérée dans le centre en ressorte propre. Refroidir dans le plat pendant 10 minutes. Donne 4 à 6 portions.

Micro-ondes: Mettre le boeuf et l'oignon dans un plat micro-perméable (1½ pinte). Couvrir. Cuire à haute intensité pendant 5 minutes. Egoutter l'excès de gras. Ajouter les 2 ingrédients suivants. Mettre par étage, le macaroni et la viande, dans un plat micro-perméable de 3 pintes. Couvrir et cuire à haute intensité pendant 5 minutes. Laisser reposer 5 minutes.

LASAGNE AU JAMBON ET BROCOLI

1 recette de sauce au fromage
4 bandes de nouilles à lasagne,
cuites et égouttées
4 tranches de jambon (4 oz)
2 paquets (10 oz chacun) de
brocoli en branches cuit et
égoutté

Mettre la moitié de la sauce au fromage dans un plat oval de 1½ pinte. Mettre 1 tranche de jambon et ¼ du brocoli sur une bande de nouille à lasagne. Enrouler ensemble; déposer dans la sauce. Napper de la sauce qui reste. Couvrir de papier en aluminium. Cuire au four à 350°F pendant 15 minutes. Découvrir; cuire encore 15 minutes ou jusqu'à bien chaud. Donne 4 portions.

Un nouveau plat appétissant.

En haut: *Macaroni à la viande.*   En bas: *Lasagne au jambon et broco*

6.

LES LÉGUMES

Depuis toujours, les légumes font partie de l'alimentation; même l'homme des cavernes savait choisir les racines et les plantes sauvages pour se nourrir. Puis, peu à peu, la civilisation apporta la découverte de l'agriculture et l'homme apprit à contrôler la croissance des produits de la terre et à les récolter.

Aujourd'hui, les légumes sont devenus une partie importante du commerce entre les pays, même entre les continents, pour nous permettre de les consommer en toute saison et en grande quantité parce qu'ils nous viennent de tous les pays du monde.

Non seulement les

légumes sont attrayants par leurs formes et leur couleurs; ils sont surtout appréciés à cause de leur valeur nutritive indéniable. Maintenant, le défi consiste à créer des recettes appétissantes qui rehaussera la saveur naturelle de ces aliments et ajoutera ainsi, de la variété au menu.

A cause de son goût exquis et de sa texture douce, la vraie mayonnaise Hellmann's vous permettra de réaliser des plats de légumes qui sauront plaire à toute la famille. Essayer chaque jour une de ces nouvelles recettes et faites-en la partie la plus alléchante du repas.

LE COMPTOIR DE POMMES DE TERRE

TARTE AUX POMMES DE TERRE

3 tasses de pommes de terre en purée
½ tasse de fromage suisse râpé
½ tasse de vraie mayonnaise Hellmann's
¼ tasse d'échalotte hachée
1 oeuf légèrement battu

Au fouet ou au malaxeur, mélanger ensemble tous les ingrédients. Mettre dans une assiette à tarte. Cuire au four à 400°F pendant 35 à 45 minutes ou jusqu'à gonflé et doré. Servir immédiatement. Donne 4 à 6 portions.

Micro-ondes: Saupoudrer légèrement de paprika. Cuire à 50% d'intensité pendant 20 minutes ou jusqu'à ce que ce soit chaud, en tournant d'un quart de tour chaque cinq minutes. Laisser reposer 5 minutes.

POMMES DE TERRE RÔTIES AU POÊLON

15 mL d'huile de maïs
250 mL oignon haché
125 mL vraie mayonnaise Hellmann's
75 mL vinaigre de cidre
15 mL sucre
1 mL poivre
4 pommes de terre moyennes, cuites, pelées, en dés
15 mL persil haché
15 mL bacon cuit émietté

Dans un grand poêlon, chauffer l'huile de maïs sur feu moyen. Ajouter l'oignon; cuire 2 à 3 minutes ou jusqu'à peu près tendre. Ajouter les 4 autres ingrédients. Ajouter les pommes de terre et cuire en brassant pendant 2 minutes ou jusqu'à ce que ce soit chaud (ne pas bouillir). Garnir de persil et de bacon émietté. Donne 4 à 6 portions.

POMMES DE TERRE DORÉES AU FOUR

1 recette de sauce au fromage
4 pommes de terre moyennes (1½ lbs) pelées, tranchées mince
1 oignon moyen tranché mince
¾ c. à thé de sel
paprika

Dans un grand bol, mélanger ensemble la sauce et les 3 ingrédients suivants. Mettre dans une casserole de 1½ pinte. Saupoudrer de paprika. Cuire au four à 375°F pendant 50 à 60 minutes ou jusqu'à ce que les pommes de terre soient tendres. Donne 4 à 6 portions.

Micro-ondes: Couvrir la casserole. Cuire à 50% d'intensité pendant 25 minutes ou jusqu'à ce que les pommes de terre soient tendres. Brasser une fois après 12 minutes et saupoudrer de paprika. Laisser reposer 2 minutes.

De haut en bas: *Pommes de terre dorées au four, Tarte aux pommes de terre, Pommes de terre rôties au poêlon.*

LA TOUCHE FRANÇAISE

SOUFFLÉ AUX ÉPINARDS

½ tasse de vraie mayonnaise Hellmann's
¼ tasse de farine
2 c. à table d'oignon râpé
¾ c. à thé de sel
¼ c. à thé de poivre
¼ c. à thé de muscade
1 tasse de lait
1 paquet d'épinards (10 oz) décongelés, hachés et bien égouttés sur du papier absorbant
4 oeufs séparés
¼ c. à thé de crème de tartre

Chauffer le four à 400°F. Graisser un moule à soufflé de 2 pintes. Dans une casserole de 3 pintes, mêler ensemble les 6 premiers ingrédients. En brassant constamment, cuire le mélange sur feu moyen pendant 1 minute. Ajouter graduellement le lait en brassant pour rendre lisse, et cuire jusqu'à épaississement (ne pas laisser bouillir). Retirer de la chaleur; ajouter en brassant les épinards, puis les jaunes d'oeufs. Dans un petit bol, battre les blancs d'oeufs et la crème de tartre à haute vitesse pour obtenir des pics fermes. Ajouter au mélange d'épinards en repliant doucement dans la pâte, (ne pas trop mélanger). Mettre à la cuiller dans le moule préparé. Mettre au four sur la grille la plus basse. Réduire immédiatement le four à 375°F. Cuire au moins 40 minutes jusqu'à ce qu'une croûte dorée et gonflée se forme. Servir immédiatement. Donne 4 à 6 portions.

LÉGUMES EN SAUCE

¼ tasse de fromage Parmesan râpé
1 recette de sauce au citron
1 boîte (14 oz) de petits oignons ronds
1 boîte (14 oz) de petites carottes
1 boîte de 6 oz d'artichauts coupés en quatre
1 c. à table de persil haché

Ajouter 2 c. à table de fromage à la sauce; garder au chaud. Chauffer les légumes; bien égoutter. Ajouter la sauce et mêler un peu. Mettre à la cuiller dans un plat de service à l'épreuve de la chaleur; saupoudrer 2 c. à table de fromage. Griller à 6 pouces de la source de chaleur 5 minutes ou jusqu'à doré. Décorer de persil. Donne 6 portions.

LE POTAGER

LÉGUMES GRATINÉS

**Ingrédients pour la sauce
blanche**

¼ **tasse d'oignon émincé**
1 **c. à table de persil haché**
¼ **c. à thé d'épices italiennes**
3 **carottes moyennes tranchées,
cuites, bien égouttées**
2 **zucchinis, tranchés, cuits, bien
égouttés**
½ **tasse de chapelure fraîche**
¼ **tasse de fromage Parmesan
râpé**
1 **c. à table de margarine fondue**

Préparer la sauce blanche, mais augmenter
la quantité de sel à ¾ c. à thé et ajouter
l'oignon, le persil et les épices italiennes
avant de cuire. Ajouter les carottes et les
zucchinis. Mêler pour bien enrober de
sauce. Mettre à la cuiller dans un plat
de service à l'épreuve de la chaleur. Mélanger ensemble les ingrédients qui restent.
Jeter sur les légumes. Griller à 6 pouces
de la source de chaleur pendant 3 minutes
ou jusqu'à doré. Donne 4 à 6 portions.

SAUCE SOUFFLÉE POUR BROCOLI

2 **paquets de 10 oz chacun de
brocoli congelé ou 2 paquets
de brocoli frais, coupé en
morceaux, cuit et égoutté**
2 **blancs d'oeufs à la température
de la pièce**
¼ **c. à thé de sel**
½ **tasse de fromage suisse râpé
(2 oz)**
½ **tasse de vraie mayonnaise
Hellmann's**

Déposer le brocoli cuit dans un plat de
service (1½ pinte), à l'épreuve de la chaleur. Dans un petit bol, battre les blancs
d'oeufs à grande vitesse pour former des
pics fermes. Ajouter en pliant le fromage
et la mayonnaise; étendre également à la
cuiller sur le brocoli. Griller à 6 pouces
de la source de chaleur pendant 4 minutes
ou jusqu'à doré. Servir immédiatement.
Donne 6 à 8 portions.

En haut: *Légumes gratinés.*   En bas: *Sauce soufflée pour brocoli*

AUBERGINE AU FOUR

1 tasse de vraie mayonnaise Hellmann's
1 c. à table d'oignon émincé
¼ c. à thé de sel
⅓ tasse de chapelure fine
⅓ tasse de fromage Parmesan râpé
½ c. à thé d'épices italiennes
1 aubergine moyenne (1 lb) coupée en tranches de ½ pouce

Dans un petit bol mélanger ensemble les 3 premiers ingrédients. Dans un plat peu profond ou sur une feuille de papier ciré, mélanger les 3 ingrédients qui suivent. Enduire les deux côtés des tranches d'aubergine de mayonnaise puis recouvrir de chapelure. Déposer dans un plat ou sur une tôle à pâtisserie. Cuire au four à 425°F pendant 15 à 17 minutes ou jusqu'à doré. Donne 4 à 6 portions.

CHOUX DE BRUXELLES AU PARMESAN

125 mL vraie mayonnaise Hellmann's
30 mL fromage parmesan râpé
15 mL de moutarde préparée
1 mL sel
poivre
2 paquets (10 oz chacun) de choux de Bruxelles congelés

Dans un petit bol, mélanger ensemble les 5 premiers ingrédients; mettre de côté. Cuire les choux de Bruxelles selon les instructions sur le paquet; bien égoutter. Verser la sauce sur les choux de Bruxelles chauds. Servir immédiatement ou garder au chaud sur un feu bas. Donne 6 à 8 portions.

CONCOMBRES EN CRÈME

2 gros concombres, pelés et tranchés mince
1 oignon moyen, tranché mince
2 c. à table de vinaigre blanc
2 c. à thé de sel
¼ tasse de vraie mayonnaise Hellmann's
¼ tasse de crème sûre
1 c. à thé de sucre
1½ c. à thé d'aneth frais ou ½ c. à thé d'aneth séché
⅛ c. à thé de poivre blanc

Mélanger ensemble les 4 premiers ingrédients. Couvrir. Laisser reposer pendant 2 heures. Egoutter; jeter le liquide. Dans un moyen bol, mélanger ensemble les ingrédients qui restent; ajouter les concombres et l'oignon. Mêler légèrement. Couvrir; refroidir pendant 2 heures. Donne 2 tasses.

CROQUETTES DE LÉGUMES

¼ **tasse margarine**
1 **tasse d'oignons émincés**
1 **tasse de céleri tranché**
1 **tasse de carottes râpées**
1 **tasse de noix ou arachides hachées fin**
1 **tasse de chapelure**
½ **tasse de vraie mayonnaise Hellmann's**
1 **oeuf, légèrement battu**

Dans un poêlon, faire fondre 2 c. à table de margarine sur feu moyen. Frire l'oignon jusqu'à tendreté. Ajouter les 5 ingrédients suivants. Frire 2 minutes. Retirer de la chaleur; ajouter la mayonnaise et l'oeuf. Couvrir; refroidir environ 2 heures. Faire 4 pâtés avec le mélange. Dans un poêlon, faire fondre 2 c. à table de margarine sur feu moyen. Ajouter les pâtés. Cuire en retournant une fois pendant 6 minutes ou jusqu'à doré. Egouter sur du papier absorbant. Servir immédiatement. Donne 4 portions.

CHOU-FLEUR AU CARI

1 **boîte de 10 onces de crème de champignons**
1 **tasse de fromage cheddar râpé (4 onces)**
⅓ **tasse de vraie mayonnaise Hellmann's**
1 **c. à thé de poudre de cari**
1 **gros chou-fleur défait en fleurettes, cuit et égoutté**
1 **tasse de chapelure**
2 **c. à table de margarine fondue**

Dans un petit bol, mélanger ensemble les 4 premiers ingrédients. Mettre le chou-fleur dans une casserole de 2 pintes; verser la sauce dessus. Mélanger la chapelure et la margarine. Etendre sur le dessus. Cuire à 350°F pendant 30 minutes ou jusqu'à chaud et bouillonnant. Donne 6 à 8 portions.

Micro-ondes: Dans un bol micro-perméable, mélanger ensemble les 4 premiers ingrédients. Cuire à haute intensité pendant 3 minutes ou jusqu'à chaud, en brassant après chaque minute. Verser sur le chou-fleur chaud. Etendre dessus la chapelure mélangée à la margarine.

7.

LES SAUCES ET LES GARNITURES

Au sujet des sauces, un écrivain français renommé a dit: «un maître-cuisinier n'est pas un bon maître-cuisinier s'il ne possède pas l'art de réussir ses sauces».

Ce dicton indique bien le sérieux que les cuisiniers français prennent à la réussite de leurs sauces. On dit même qu'ils possèdent trois religions et trois cent sortes de sauces! Cela peut paraître extrême, mais c'est un fait incontestable qu'une sauce réussie est indispensable à plusieurs plats de poisson, de légumes, d'oeufs, de viande ou de volaille.

Dans le chapitre suivant, la vraie mayonnaise Hellmann's simplifie les recettes classiques de sauces comme la Béarnaise et la Hollandaise et vous les fait réussir infailliblement. Vous y trouverez celles qui sont toujours populaires et d'autres qui sont plus originales, de même que des recettes variées de garnitures. Quel que soit le genre, la vraie mayonnaise Hellmann's donnera à toutes vos sauces, la texture et la saveur qui feront leur réussite.

LES SAUCES CUITES

SAUCE BLANCHE

¼ tasse de vraie mayonnaise
   Hellmann's
2 c. à table de farine
¼ c. à thé de sel
   pincée de poivre
1 tasse de lait

Dans une petite casserole, mélanger ensemble les 4 premiers ingrédients. En brassant constamment, cuire sur feu moyen pendant 1 minute. Ajouter graduellement le lait en brassant jusqu'à lisse. Continuer de brasser jusqu'à épaississement (ne pas bouillir). Donne environ 1¼ tasse.

Micro-ondes: Dans un bol micro-perméable mélanger ensemble les 4 premiers ingrédients. Ajouter graduellement le lait jusqu'à lisse. Cuire au four à haute intensité pendant 4 minutes ou jusqu'à chaud, en brassant une fois après 3 minutes.

SAUCE AU FROMAGE

Suivre la recette pour la Sauce blanche et ajouter 1 tasse de fromage râpé après le lait. Donne environ 2 tasses.

Micro-ondes: Préparer la recette de Sauce blanche. Ajouter le fromage en brassant jusqu'à fondu.

SAUCE AUX HERBES

Suivre la recette pour la Sauce blanche; ajouter ¼ c. à thé d'assaisonnements italiens ou ½ c. à thé d'aneth séché et ½ c. à thé de sel oignon, ou ¼ c. à thé de thym. Donne 1¼ tasse.

Micro-ondes: Ajouter les herbes au mélange de Sauce blanche juste avant de cuire.

SAUCE FORTE POUR POMMES DE TERRE

1 tasse de vraie mayonnaise
   Hellmann's
2 échalottes moyennes coupées
2 grosses olives farcies
1 petite branche de céleri coupée
1 petite gousse d'ail
1 c. à table de sauce Worcestershire

Mettre tous les ingrédients dans le bol du mélangeur; couvrir et mélanger jusqu'à lisse. Refroidir dans un pot couvert. Donne environ 1¾ tasse.

SAUCE AU CITRON

1 tasse de vraie mayonnaise
   Hellmann's
2 oeufs
3 c. à table de jus de citron
½ c. à thé de sel
½ c. à thé de moutarde sèche

Dans une petite casserole, battre tous les ingrédients au fouet pour rendre lisse. En remuant constamment cuire sur feu moyen jusqu'à épaississement. Ne pas bouillir. Servir sur des légumes, du poisson ou des oeufs pochés. Saupoudrer de paprika. Donne 1⅔ tasse.

Micro-ondes: Dans un bol micro-perméable de 1 pinte, battre tous les ingrédients au fouet jusqu'à lisse. Cuire à haute intensité pendant 2 minutes ou jusqu'à épaississement en brassant à chaque 30 secondes.

De gauche à droite: Sauce aux herbes, Sauce au fromage, Sauce au citron

LES PLATS PRINCIPAUX

SAUCE NEWBURG

1 **boîte de 10 oz de crème de crevettes**
½ **tasse de vraie mayonnaise Hellmann's**
¼ **tasse de sherry sec**

Dans une petite casserole, battre tous les ingrédients au fouet jusqu'à lisse. Cuire sur feu moyen en brassant constamment jusqu'à chaud (ne pas bouillir). Garnir de persil haché. Servir sur du poisson. Donne 2 tasses.

Four micro-ondes: Dans un bol micro-perméable de 1 pinte, battre tous les ingrédients ensemble. Cuire à haute intensité pendant 3 minutes ou jusqu'à chaud, en brassant après chaque minute.

SAUCE PIQUANTE AUX HERBES

½ **tasse de vin blanc sec**
½ **tasse de persil**
¼ **tasse de vinaigre blanc**
1 **petit oignon coupé en quatre**
2 **grosses gousses d'ail**
2½ **c. à thé d'estragon en feuilles, écrasées**
¼ **c. à thé de feuilles de cerfeuil écrasées**
⅛ **c. à thé de poivre**
1 **tasse de vraie mayonnaise Hellmann's**

Mettre les 8 premiers ingrédients dans le bol du mélangeur; couvrir. Mélanger à haut vitesse jusqu'à uniforme. Dans une petite casserole, faire cuire en brassant constamment jusqu'à ce que le liquide soit réduit à ⅓ de tasse. Tamiser; remettre dans la casserole. Ajouter la mayonnaise et brasser. Réchauffer sur feu moyen. Donne 1¼ tasse.

Un genre de béarnaise pour les viandes rouges ou le poisson.

SAUCE AU THON

1 **tasse de vraie mayonnaise Hellmann's**
1 **boîte de thon (3½ oz) égoutté, en flocons**
1 **filet d'anchois**
1 **c. à table de câpres**
2 **c. à thé de jus de citron Pincée de poivre**

Mettre tous les ingrédients dans le bol du mélangeur; couvrir. Mélanger à haute vitesse jusqu'à lisse. Verser dans un petit bol. Couvrir et refroidir. Servir sur du poulet froid ou du veau. Donne 1½ tasse.

De haut en bas: Darnes de saumon accompagnés de Sauce Newburg, Tranches de boeuf accompagnées de Sauce piquante aux herbes, Poitrines de poulet accompagnées de Sauce au thon.

SAUCE AU RAIFORT

**375 mL vraie mayonnaise
    Hellmann's
 50 mL raifort préparé, égoutté
 30 mL sirop de maïs
 30 mL sherry sec ou vinaigre à
    l'estragon
 30 mL moutarde préparée
  1 mL sauce au piment**

Dans un petit bol, mêler ensemble tous
les ingrédients. Couvrir; refroidir. Servir
avec des viandes froides telles la langue,
le jambon ou autres. Donne 500 mL.

*Pour un buffet froid, cette sauce accom-
pagne bien les viandes.*

SAUCE POUR
SAUCISSONS

**1 tasse de vraie mayonnaise
    Hellmann's
 1 tasse de relish sucrée égouttée
 ¼ tasse de ketchup**

Dans un petit bol mêler ensemble tous
les ingrédients. Couvrir et refroidir. Servir sur des saucissons avec des tranches
de fromage suisse et de la choucroute.
Donne 1¼ tasse.

SAUCE POUR
HAMBURGER

**1 tasse de vraie mayonnaise
    Hellmann's
 ½ tasse de fromage cheddar
    (2 oz) râpé
 1 c. à thé de poudre chilienne
 4 gouttes de sauce au piment**

Dans un petit bol mélanger ensemble tous
les ingrédients. Couvrir; refroidir. Donne
1¼ tasse.

SAUCE CRÉMEUSE POUR FRUITS DE MER

1 tasse de vraie mayonnaise
   Hellmann's
¼ tasse de sauce chili
¼ tasse de raifort préparé
1 c. à thé de jus de citron
¼ c. à thé de sauce Worcestershire

Dans un petit bol mélanger ensemble tous les ingrédients. Couvrir et refroidir. Servir avec des fruits de mer. Donne 1½ tasse.

SAUCE ÉPICÉE POUR DU BOEUF

1 tasse de vraie mayonnaise
   Hellmann's
½ petit oignon
2 c. à table de moutarde brune
   épicée
1 petite gousse d'ail
½ c. à thé de sauce Worcestershire

Mettre tous les ingrédients dans le bol du mélangeur. Couvrir. Mélanger à haute vitesse jusqu'à lisse. Mettre dans un pot couvert et refroidir pendant au moins 2 heures pour bien mélanger les saveurs. Servir avec du boeuf chaud ou froid. Donne environ 1¼ tasse.

SAUCE TARTARE

1 tasse de vraie mayonnaise
   Hellmann's
3 c. à table de cornichons à
   l'aneth hachés
1 c. à table d'oignon haché fin
1 c. à thé de persil haché fin
½ c. à thé de sucre

Dans un petit bol, mélanger ensemble les ingrédients. Couvrir et refroidir. Servir avec du poisson. Donne environ 1 tasse.

8.

LES SANDWICHES

La mode de servir des sandwiches à toute heure n'est pas aussi nouvelle qu'on pourrait le supposer. Déjà, à l'époque des défricheurs qui devaient passer la journée dans la forêt ou au labeur dans les champs, il y avait dans leur sac de victuailles, une bonne quantité de galettes qu'ils roulaient et mangeaient sans s'arrêter de travailler. Puis, en 1762, le cuisinier du comte de Sandwich inventa ce mode de repas pour épargner à son maître d'avoir à quitter sa table de jeu. De là le nom et sans doute, la mode de la restauration-minute.

Aujourd'hui, la nécessité de repas qu'il faut préparer vite a fait qu'on connait mille sortes de sandwiches, pour nous permettre de se restaurer rapidement, à tout moment. On en a inventé pour servir en goûter léger, pour en faire le plat principal d'un repas et pour des menus de réception.

Que vous les serviez chauds ou froids, souvenez-vous que la vraie mayonnaise Hellmann's, rendra vos sandwiches toujours plus savoureux.

SANDWICHES "à la carte"

SANDWICHES MONTE CRISTO

⅓ **tasse de vraie mayonnaise Hellmann's**
¼ **c. à thé de muscade**
⅛ **c. à thé de poivre**
12 **tranches de pain blanc**
6 **tranches de fromage suisse**
6 **tranches de jambon cuit**
6 **tranches de poulet ou de dinde cuit**
2 **oeufs**
½ **tasse de lait**

Dans un petit bol, mélanger ensemble les 3 premiers ingrédients. Etendre sur les tranches de pain. Disposer le fromage, le jambon et le poulet sur 6 tranches. Recouvrir d'une autre tranche garnie de mayonnaise. Couper en diagonale. Battre les oeufs et le lait; tremper chacune des sandwiches dans le mélange. Cuire dans une poêle beurrée pour dorer; retourner et dorer l'autre côté. Donne 6 portions.

SAUCE CANNEBERGE-ORANGE

Dans un petit bol, mélanger 1 tasse de sauce aux canneberges, fruits entiers, ¾ tasse de confiture d'orange et ½ tasse de vraie mayonnaise Hellmann's. Couvrir; refroidir. Donne environ 2 tasses.

Un sandwich au pain doré et une sauce spéciale.

SANDWICHES RACHEL

¾ **tasse de vraie mayonnaise Hellmann's**
1 **c. à table de vinaigre de cidre de pommes**
1½ **c. à thé de sucre**
¾ **c. à thé de moutarde en poudre**
½ **c. à thé de sel de céleri**
3 **tasses de chou haché fin**
4 **tranches de fromage suisse**
8 **onces de pastrami cuit tranché**
8 **tranches de pain au blé entier**

Dans un bol moyen, mélanger ensemble ½ tasse de mayonnaise et les 4 ingrédients suivants. Ajouter le chou; mêler pour enrober. Disposer du fromage et de la viande sur 4 tranches de pain; mettre du chou. Couvrir d'une autre tranche de pain. Etendre de la mayonnaise sur l'extérieur des sandwiches. Faire dorer des deux côtés dans une poêle chaude. Donne 4 sandwiches.

De haut en bas: *Sandwiches Rachel, Repas sandwich, Sandwiches Monté Cristo*

REPAS SANDWICH

8 tranches de pain de seigle
½ recette de sauce russe
4 tranches de fromage suisse
8 onces de boeuf salé cuit
    tranché
1 tasse de choucroute, bien
    égouttée
¼ tasse de vraie mayonnaise
    Hellmann's

Etendre de la sauce russe sur 4 tranches de pain. Mettre une tranche de fromage et une tranche de boeuf salé. Mélanger la choucroute avec le reste de sauce russe; en garnir le boeuf salé. Couvrir avec l'autre tranche de pain. Etendre de la mayonnaise sur l'extérieur des sandwiches. Faire dorer à la poêle; retourner soigneusement pour dorer l'autre côté. Donne 4 sandwiches.

SANDWICH AU THON

1 boîte de 7 oz de thon, égoutté,
    en flocons
1 tasse de miettes de pain frais
1 oeuf légèrement battu
½ tasse de céleri haché fin
⅓ tasse de vraie mayonnaise
    Hellmann's
¼ tasse d'oignon émincé
1 c. à thé de jus de citron

Dans un bol moyen, mettre tous les ingrédients et bien mélanger. Couvrir et refroidir au moins 2 heures. Chauffer une poêle légèrement beurrée, sur feu moyen. Faire 4 pâtés avec le mélange au thon et les faire dorer des deux côtés, environ 6 minutes. Servir sur des pains à hamburger garnis de tranches de tomates. Donne 4 portions.

SANDWICH AU THON ET AU FROMAGE

1 boîte de thon de 7 oz, égoutté,
    en flocons
¼ tasse de céleri haché
2 c. à table de relish
2 c. à table d'oignon haché
½ tasse de vraie mayonnaise
    Hellmann's
8 tranches de pain blanc ferme
4 tranches de fromage canadien

Dans un bol moyen, mélanger les 4 premiers ingrédients avec ¼ tasse de mayonnaise. Etendre le mélange au thon sur 4 tranches de pain. Mettre une tranche de fromage par dessus et couvrir d'une tranche de pain. Enduire l'extérieur des sandwiches de mayonnaise et cuire dans une poêle réchauffée pour dorer des deux côtés. Donne 4 portions.

REMPLISSAGE CONSISTANT POUR SANDWICHES

2 tasses de boeuf salé (corned
    beef), cuit, haché, (environ
    8 onces)
½ tasse de chou haché fin
⅓ tasse de vraie mayonnaise
    Hellmann's
1 c. à table de raifort préparé

Dans un petit bol, mélanger ensemble tous les ingrédients. Couvrir et refroidir. Donne 2 tasses.

PETITES PIZZAS

1 tasse de fromage Mozzarella râpé (4 oz)
1 tasse d'olives noires tranchées
4 onces de pepperoni, haché
½ tasse de vraie mayonnaise Hellmann's
¼ c. à thé d'épices italiennes
4 muffins anglais, séparés, rôtis

Dans un bol moyen, mélanger les 5 premiers ingrédients. En mettre sur les moitiés de muffins. Griller au four à 6 pouces de la source de chaleur pendant 5 minutes ou jusqu'à doré. Donne 8 pizzas.

Micro-ondes: Disposer les moitiés de muffins garnis en rond dans une assiette micro-perméable. Cuire à haute intensité pendant 2 minutes ou jusqu'à ce que le fromage soit fondu.

SANDWICHES CHAUDS AU POISSON

125 mL vraie mayonnaise Hellmann's
125 mL fromage cheddar râpé
30 mL relish sucrée
30 mL oignon haché
1 paquet (8 oz) de bâtonnets de poisson, cuits
4 tranches de tomates
4 petits pains à hamburger coupés en deux

Dans un petit bol, mélanger ensemble les 4 premiers ingrédients; mettre de côté. Mettre les bâtons de poisson et les tranches de tomates sur les moitiés de petits pains. Avec une cuiller, ajouter le mélange de mayonnaise. Mettre sur une tôle à pâtisserie. Cuire à 200°C pendant 10 minutes ou jusqu'à ce que le fromage soit fondu. Couvrir avec l'autre moitié du petit pain. Donne 4 sandwiches.

Un grand favori vite préparé.

POUR LES PETITS GOÛTERS

ASPERGES SOUS CAPE

RONDELLES GARNIES

MINI-RECTANGLES

TRIANGLES DATTES-NOIX

RUBANS

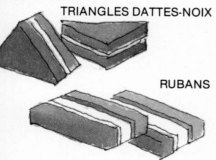

Après les avoir tranchés, les envelopper de papier ciré et d'un linge humide. Garder au réfrigérateur jusqu'au moment de servir.

Enlever la croûte de 6 tranches de pain blanc. Ecraser légèrement au rouleau. Etendre le remplissage de votre choix. Déposer une asperge cuite et égouttée en diagonale sur le remplissage. Ramener les deux pointes de pain ensemble; les presser pour les coller. Envelopper individuellement et refroidir. Donne 6.

A l'emporte-pièce, couper 24 rondelles dans 12 tranches de pain blanc. Etendre le remplissage de votre choix sur 12 rondelles. Enlever le centre des 12 autres rondelles et déposer sur le remplissage. Garnir d'une tranche d'olive farcie ou de persil. Couvrir et refroidir. Donne 12.

A l'emporte-pièce de forme oblongue, couper 24 rectangles dans 12 tranches de pain de blé. Faire 12 sandwiches avec le remplissage de votre choix. Couvrir et refroidir; garnir avec des tranches de radis ou d'olives farcies. Donne 12.

Etendre du remplissage Orange-Gingembre sur des tranches de pain aux noix et aux dattes. Couvrir d'une autre tranche. Couvrir et refroidir. Couper chaque tranche en diagonale. Donne 12.

Sur deux tranches de pain de blé, étendre le remplissage de votre choix. Couvrir d'une tranche de pain blanc; étendre un autre remplissage et couvrir d'une tranche de pain brun. Presser fermement ensemble. Envelopper; refroidir. Enlever les croûtes. Couper en travers, 4 fois. Donne 8 sandwiches rubans.

En haut: Assortiment de sandwiches de fantaisie. En bas: Pain-sandwich avec glaçage.

REMPLISSAGES POUR SANDWICHES

JAMBON:

Mélanger 1 tasse de jambon haché avec ¼ de tasse de vraie mayonnaise Hellmann's et 2 c. à table de relish sucrée, 2 c. à thé de moutarde préparée et 1 c. à thé de raifort préparé. Couvrir et refroidir. Donne 1½ tasse.

OEUFS:

Mélanger 4 oeufs cuits durs hachés, ¼ tasse de vraie mayonnaise Hellmann's et ¼ c. à thé de sel. Couvrir et refroidir. Donne 1¼ tasse.

THON:

Mélanger 1 boite de 7 onces de thon, égoutté, en flocons, ¼ tasse de vraie mayonnaise Hellmann's, 3 c. à table d'oignon émincé et 1 c. à thé de jus de citron. Couvrir et refroidir. Donne 1 tasse.

SAUMON:

Mélanger 1 boite de 7¾ onces de saumon, égoutté et en flocons, ¼ tasse de vraie mayonnaise Hellmann's, ¼ tasse de céleri haché fin, 2 c. à thé de jus de citron. Couvrir et refroidir. Donne 1 tasse.

POULET:

Mélanger 1 tasse de poulet cuit haché fin, ¼ tasse de vraie mayonnaise Hellmann's, ¼ tasse de céleri haché fin, 1 c. à table de sauce chili et ¼ c. à thé de sel. Couvrir et refroidir. Donne 1¼ tasse.

ORANGE-GINGEMBRE

Battre jusqu'à mousseux, 1 paquet de 250 g de fromage à la crème ramolli, ¼ tasse de vraie mayonnaise Hellmann's, 3 c. à table de zeste d'orange râpé, 2 c. à thé de jus de citron et ½ c. à thé de gingembre en poudre. Couvrir et refroidir. Donne 1¼ tasse.

SANDWICHES NAPOLITAINS

1 paquet (125 g) de fromage à la crème ramolli
¼ tasse de vraie mayonnaise Hellmann's
1 c. à table de fromage Parmesan râpé
1 c. à table d'oignon émincé
½ c. à thé d'épices italiennes
⅛ c. à thé de poudre d'ail
½ tasse d'olives noires hachées
20 tranches (¼ de pouce d'épaisseur) de pain croûté

Dans un petit bol, à la plus haute vitesse du malaxeur, battre les 6 premiers ingrédients jusqu'à léger et mousseux. Ajouter les olives. Etendre sur du pain et faire les sandwiches. Couvrir et refroidir. Donne 10 sandwiches.

CREVETTES AU CARI EN SANDWICH

75 mL vraie mayonnaise Hellmann's
15 mL jus de citron
15 mL confiture d'abricots
2 mL poudre de cari
1 boîte de 4 oz de crevettes, égouttées, hachées
24 tranches de pain à sandwich, les croûtes enlevées.

Dans un petit bol, mélanger ensemble les 4 premiers ingrédients. Ajouter les crevettes hachées. Etendre sur les tranches de pain. Couvrir. Refroidir. Donne 12 sandwiches.

Ces sandwiches miniatures ont une saveur différente.

PAIN-SANDWICH AVEC GLAÇAGE

4 recettes de remplissages à votre choix (page 92)
15 tranches de pain ferme, au blé, les croûtes enlevées
1 tasse de vraie mayonnaise Hellmann's
2 paquets (250 g chacun) de fromage à la crème ramolli

Etendre de la mayonnaise sur les tranches de pain. Disposer 3 tranches à plat dans l'assiette à servir, l'une à la suite de l'autre. Etendre un remplissage sur les 3 tranches. Mettre des tranches de pain par dessus et étendre une autre sorte de remplissage; mettre des tranches de pain dessus, puis continuer ainsi jusqu'à ce que les 4 sortes de remplissages soient utilisés et couvrir des 3 dernières tranches, le côté sec à l'extérieur. Presser fermement les étages ensemble. Couvrir d'une serviette humide et refroidir pendant 2 heures.

Dans un petit bol, battre le fromage à grande vitesse jusqu'à léger et mousseux. Ajouter en battant ½ tasse de mayonnaise et rendre lisse. Glacer les côtés et le dessus du pain-sandwich. Couvrir et refroidir au moins 4 heures pour qu'il se tranche plus facilement. Garnir de radis en rose et de feuilles de céleri. Donne 10 à 12 tranches.

SANDWICHES-REPAS

RÔTIES À LA SAUCE AU FROMAGE

½ tasse de **vraie mayonnaise Hellmann's**
3 c. à table de **farine**
½ c. à thé de **moutarde préparée**
½ c. à thé de **sauce Worcestershire**
¾ tasse de **bière**
2 tasses de **fromage Cheddar râpé (8 oz)**
8 **tranches de pain brun coupé en diagonale**
3 **grosses tomates, coupées en 16 tranches**

Dans une casserole de 2 pintes, mélanger ensemble les 4 premiers ingrédients. Cuire en brassant sur feu doux pendant 1 minute. Ajouter graduellement la bière. Cuire en brassant jusqu'à épaississement (ne pas bouillir). Ajouter le fromage; cuire en brassant jusqu'à ce que le fromage soit fondu. Disposer le pain rôti et les tranches de tomates dans 4 assiettes, puis verser la sauce dessus. Servir immédiatement. Donne 4 portions.

Micro-ondes: Dans une casserole micro-perméable, mélanger ensemble les 4 premiers ingrédients. Ajouter graduellement la bière et le fromage. Cuire à haute intensité pendant 4 minutes en brassant après chaque minute de cuisson. Servir comme suggéré ci-haut.

SANDWICHE OUVERT AU FOUR

3 **pains croûtés divisés en deux, rôtis**
13 **onces de poulet ou dinde cuite, en tranches**
2 **paquets (10 oz ch) de branches de brocoli cuit, égoutté**
1 tasse de **vraie mayonnaise Hellmann's**
1 tasse de **fromage suisse râpé (4 oz)**
¼ tasse de **lait**
1½ c. à thé de **moutarde en poudre**
¼ tasse d'**oignon rouge haché**

Mettre les pains coupés en deux sur une tôle à pâtisserie. Disposer le poulet ou la dinde sur chacun, puis des branches de brocoli. Dans un petit bol, mélanger ensemble les 4 ingrédients suivants; mettre à la cuiller sur le brocoli. Garnir d'oignon haché. Griller à 6 pouces de la source de chaleur pendant 4 à 6 minutes, ou jusqu'à doré. Garnir de cresson. Donne 6 sandwiches.

De haut en bas: *Délices au crabe et asperge, Sandwich ouvert au four, Rôties à la sauce au fromag*

DELICES AU CRABE ET ASPERGE

- **1** **boîte de crabe de 6 oz bien égoutté**
- **125** **mL fromage suisse râpé**
- **10** **mL jus de citron**
- **5** **mL raifort préparé**
- **125** **mL vraie mayonnaise Hellmann's**
- **1** **paquet de 10 oz de pointes d'asperges congelées, cuites et bien égouttées**
- **4** **tranches de pain italien (2 cm d'épaisseur) rôties**
- **1** **oeuf, séparé**

Dans un plat moyen, mélanger les 4 premiers ingrédients et 50 mL de vraie mayonnaise; mettre de côté. Disposer les asperges sur les rôties; mettre du mélange au crabe sur les asperges et déposer les rôties sur une tôle à pâtisserie. Dans un petit bol, battre le blanc d'oeuf jusqu'à ce qu'il se forme des pics très fermes. Dans un autre petit bol, battre le jaune d'oeuf et le reste de la mayonnaise jusqu'à léger et mousseux. Ajouter le blanc d'oeuf au jaune et brasser en pliant le mélange; mettre à la cuiller sur le mélange au crabe. Cuire au four à 200°C pendant 10 minutes ou jusqu'à gonflé et doré. Donne 4 sandwiches.

Aussi attrayant qu'appétissant.

SANDWICH OUVERT AU BOEUF

- **3** **pains croûtés divisés en deux**
- **¾** **tasse de vraie mayonnaise Hellmann's**
- **¼** **c. à thé de sel d'ail**
- **¼** **tasse de crème sûre**
- **2** **c. à table de raifort préparé**
- **1** **oignon moyen, tranché fin**
- **12** **onces de rosbif tranché mince**

Etendre de la mayonnaise sur les moitiés de pains; saupoudrer de sel d'ail. Mettre sous le gril pour dorer; garder au chaud. Dans une petite casserole, mélanger ensemble ½ tasse de mayonnaise, la crème sûre et le raifort. Cuire sur feu moyen en brassant, jusqu'au point d'ébullition (ne pas bouillir). Disposer le boeuf et les rondelles d'oignon sur les pains. Garnir de sauce, puis de persil. Donne 6 sandwiches.

REPAS SANDWICH AU FOUR

8 tranches de pain blanc ferme, les croûtes enlevées
4 grosses tomates tranchées, pelées
8 tranches de fromage suisse
4 oeufs légèrement battus
1½ tasse de lait
½ tasse de vraie mayonnaise Hellmann's
¼ c. à thé de sel
½ c. à thé de moutarde sèche
¼ c. à thé de muscade

Préparer 4 sandwiches avec le pain, les tomates, le fromage. Mettre côte à côte dans un grand plat (8x8x2 pouces) allant au four. Dans un petit bol, battre les autres ingrédients. Verser sur les sandwiches; laisser reposer pendant 1 heure. Cuire au four à 325°F pendant 1 heure ou jusqu'à ce que la pointe d'un couteau introduite dans le centre en ressorte sèche. Servir immédiatement. Donne 4 portions.

SAUCISSONS À LA MEXICAINE

6 saucissons, en tranches
½ tasse d'oignon haché
1 boîte (5½ oz) de pâte de tomate
⅛ c. à thé de piments broyés
½ tasse de vraie mayonnaise Hellmann's
6 pains à hot dog grillés
½ tasse de fromage cheddar râpé (2 oz)

Dans un grand poêlon, mélanger ensemble les 4 premiers ingrédients. Brasser sur feu moyen pendant 5 minutes. Enlever de la chaleur; ajouter la mayonnaise. Mettre le mélange à la cuiller dans chacun des pains; ajouter le fromage. Mettre sous le gril pour le fondre. Donne 6 portions.

Micro-ondes: Dans un plat micro-perméable mélanger ensemble les 4 premiers ingrédients. Cuire à haute intensité pendant 4 minutes en brassant après 1 minute. Ajouter la vraie mayonnaise. Mettre à la cuiller dans chacun des pains; ajouter du fromage. Disposer en rond dans le plat. Cuire 2 minutes ou jusqu'à ce soit chaud.

MUFFINS AU POULET ET CANNEBERGES

1 boîte de gelée de canneberges (14 oz)
4 muffins anglais, coupés en deux, rôtis
½ tasse de céleri tranché fin
½ tasse d'oignon haché
2 c. à table de margarine
2 tasses de poulet ou dinde en cubes, cuit
½ tasse d'amandes en tranches minces, rôties
½ tasse de vraie mayonnaise Hellmann's
½ tasse de crème sûre
½ c. à thé de sel

Couper la sauce aux canneberges en 8 tranches; déposer une tranche sur chaque moitié de muffin. Garder à la chaleur. Dans un grand poêlon, sauter le céleri et l'oignon dans la margarine. Ajouter les autres ingrédients. Chauffer en brassant sur feu moyen, jusqu'à ébullition (ne pas bouillir). Mettre sur 2 moitiés de muffin. Donne 4 portions.

Des rondelles d'ananas peuvent remplacer la gelée de canneberges.

SANDWICHES CONSISTANTS

APPRÊT ÉPICÉ POUR SANDWICH

- **1 tasse de vraie mayonnaise Hellmann's**
- **2 c. à table de vinaigre de cidre de pommes**
- **2 c. à thé d'épices italiennes**
- **½ c. à thé de poudre d'oignon**
- **¼ c. à thé de poivre**

Dans un petit bol, mélanger ensemble tous les ingrédients. Couvrir et refroidir. Donne 1 tasse.

HOT DOGS DIFFÉRENTS

- **1 boîte (14 oz) de haricots rouges, égouttés**
- **250 mL de vraie mayonnaise Hellmann's**
- **15 mL de ketchup**
- **10 mL poudre chilienne**
- **2 mL jus de citron**
- **1 mL poudre d'ail**
- **8 saucisses de Francfort, cuites**
- **8 petits pains à hot dog**

Dans un petit bol mélanger les 6 premiers ingrédients. Couvrir; refroidir au moins 2 heures pour bien mêler les saveurs. Mettre les saucisses dans les petits pains; garnir de sauce puis de rondelles d'oignon. Donne 8 hot dogs.

Une façon originale de préparer un grand favori.

PAIN DE SEIGLE FARCI

- **1 boîte de thon (7 onces), égoutté, haché fin**
- **1 petite tomate, en dés**
- **½ tasse de vraie mayonnaise Hellmann's**
- **½ tasse de fromage suisse râpé (2 onces)**
- **¼ tasse d'échalottes**
- **1 c. à thé de jus de citron**
- **1 pain de seigle rond, non tranché (7 à 10 pouces)**

Dans un bol moyen, mélanger les 6 premiers ingrédients. Mettre de côté. Faites 11 tranches dans le pain, mais ne couper que jusqu'à 1 pouce de la croûte de dessous. Remplir de garniture au thon entre chaque tranche. Envelopper dans du papier en aluminium. Cuire au four à 350°F pendant 35 minutes ou jusqu'à ce que le fromage soit fondu. Développer; séparer les sandwiches. Donne 6 sandwiches.

Il n'est pas nécessaire de le chauffer si on désire le servir immédiatement.

De haut en bas: *Apprêt épicé pour sandwich, Hot dog différents, Pain de seigle farci.*

9.

LES PÂTISSERIES

De la mayonnaise Hellmann's dans la pâtisserie? bien oui! Parce qu'elle contient de l'huile végétale pure, la vraie mayonnaise Hellmann's peut s'utiliser comme shortening, mais quelle douceur! sa texture est si lisse et crémeuse.

Elle se mélange facilement et rapidement aux autres ingrédients et elle rend le gâteau au chocolat, les biscuits et les pains tellement légers. Et le plus extraordinaire, c'est que la vraie mayonnaise Hellmann's rend les pâtisseries encore meilleures, sans leur donner un soupçon de goût de mayonnaise.

Toutefois, la mayonnaise ne pouvant pas être substituée à un autre ingrédient, nous vous conseillons d'essayer les recettes suggérées plutôt que de tenter des expériences.

Commencez maintenant à préparer toutes ces douceurs, vous verrez que la mayonnaise est vraiment un ingrédient étonnant.

LA BOÎTE À PAIN

DÉLICIEUX PAIN À LA FARINE DE BLÉ

6 tasses (environ) de farine de
   blé entier non tamisée
2 paquets de levure sèche
1 c. à thé de sel
1 c. à thé de cannelle
1 tasse de sirop de maïs
1 tasse d'eau
½ tasse de vraie mayonnaise
   Hellmann's
2 oeufs

Graisser et enfariner une grande tôle à pâtisserie. Dans un grand bol, mélanger 2 tasses de la farine, la levure, le sel et la cannelle. Mettre de côté. Dans une casserole de 2 pintes, chauffer le sirop de maïs, l'eau et la mayonnaise, sur feu moyen jusqu'à chaud (120 à 130°F). Avec le batteur à vitesse moyenne, incorporer le mélange de sirop dans le mélange de farine; battre 2 minutes. Réduire la vitesse et incorporer 2 autres tasses de farine et les oeufs; battre à vitesse moyenne pendant 2 minutes. Incorporer suffisamment de farine, environ 1½ tasse, pour que la pâte soit facile à manier. Sur la surface enfarinée, pétrir la pâte 10 mi-nutes ou jusqu'elle soit lisse et élastique, en ajoutant ½ tasse de farine si nécessaire. Déposer dans un bol graissé; tourner la pâte dans le bol pour l'enduire tout le tour de gras. Couvrir d'une serviette humide. Laisser lever dans un endroit chaud pendant 1 heure ou jusqu'à double de volume. Dégonfler avec le poing puis diviser en deux. Laisser reposer pendant 10 minutes.

Donner la forme ovale (8 x 4 pouces) aux deux moitiés de pâte. Mettre sur la tôle à pâtisserie. Faire trois coupures sur le dessus des pains. Couvrir d'une serviette. Laisser lever dans un endroit chaud jusqu'à double de volume. Cuire au four à 350°F pendant 30 à 40 minutes ou jusqu'à dorés et cuits; si le résonnement en est un de vide en donnant un petit coup sur le fond du moule, le pain est cuit. Démouler immédiatement; laisser refroidir sur un grillage. Donne 2 pains.

Si vous désirez une belle croûte luisante, enduire le dessus d'un peu de blanc d'oeuf battu avant de cuire.

De haut en bas: *Délicieux pain à la farine de blé, Pain tressé garni de sésame, Pain aux noix et dattes.*

103

PAIN TRESSÉ GARNI DE SÉSAME

7½ tasses (environ) de farine non
    tamisée
2 paquets de levure
¼ tasse de sucre
1 c. à thé de sel
1½ tasse d'eau chaude (120°F à
    130°F)
½ tasse de vraie mayonnaise
    Hellmann's
4 oeufs
2 c. à table de graines de sésame

Graisser une grande tôle à pâtisserie. Dans un grand bol mélanger ensemble 2 tasses de la farine, la levure, le sucre, le sel. Au malaxeur, à vitesse moyenne, ajouter graduellement l'eau chaude et mélanger pendant 2 minutes. Réduire la vitesse et ajouter 2 autres tasses de farine, la mayonnaise et 3 oeufs. Battre à la vitesse moyenne pendant 2 minutes. Ajouter suffisamment de farine, environ 3 tasses, pour faire une pâte facile à manipuler. Sur une surface enfarinée, pétrir pendant 10 minutes ou jusqu'à lisse et élastique, en ajoutant ½ tasse de farine si nécessaire. Mettre dans un bol graissé; retourner la pâte pour que le dessus soit graissé. Couvrir d'une serviette humide. Laisser gonfler dans une endroit chaud pendant 1 heure ou jusqu'à ce que ce soit double de grosseur. Frapper la pâte pour l'abaisser. Diviser en 3 parties. Laisser reposer pendant 10 minutes.

Rouler chaque partie pour faire une bande de 24 pouces. Mettre côte-à-côte sur la tôle à pâtisserie et faire une tresse détendue. Faire un cercle et rassembler les bouts; les pincer pour les coller. Couvrir d'une serviette humide. Mettre dans un endroit chaud et laisser gonfler pendant une heure et demi ou jusqu'à double de grosseur. Battre légèrement l'oeuf qui reste et en mettre sur toute la surface du pain. Garnir de graines de sésame. Cuire au four à 375°F pendant 40 minutes ou jusqu'à ce que vous obteniez un bruit sourd en tapant sur le moule. Enlever immédiatement de la tôle à pâtisserie et laisser refroidir sur un treillis.

PAIN AUX NOIX ET DATTES

2½ tasses de farine non tamisée
1 tasse de noix hachées gros
¾ tasse de sucre
1 c. à table de poudre à pâte
¼ c. à thé de sel
1 paquet (8 oz) de dattes hachées
    (environ 1¼ tasse)
2 oeufs
¾ tasse d'eau
¼ tasse de vraie mayonnaise
    Hellmann's
1½ c. à thé de vanille

Graisser et enfariner un moule à pain de 9 x 5 x 3 pouces. Dans un grand bol, mélanger ensemble les 5 premiers ingrédients. Ajouter les dattes; mettre de côté. Dans un petit bol, battre légèrement les oeufs avec une fourchette. Ajouter les autres ingrédients et battre jusqu'à lisse. Ajouter aux ingrédients secs et mêler juste pour humecter. Mettre dans le moule avec une cuiller. Cuire au four à 350°F pendant 50 à 60 minutes ou jusqu'à ce qu'un cure-dent inséré au centre en ressorte propre. Refroidir 10 minutes dans le moule. Démouler. Refroidir complètement sur un treillis.

PAIN ROND EN CASSEROLE

2½	tasses de farine non tamisée
1	c. à table de poudre à pâte
½	c. à thé de sel
½	tasse de vraie mayonnaise Hellmann's
2	tasses de fromage cheddar râpé (8 oz)
½	tasse d'oignons verts hachés
1	oeuf
¾	tasse de lait

Graisser une casserole de 1½ pinte. Dans un grand bol, mélanger les 3 premiers ingrédients. Ajouter la mayonnaise et mélanger; le mélange sera grumeleux. Ajouter le fromage et les oignons; mêler. Battre le lait et l'oeuf. Ajouter au mélange de farine et mêler juste pour humecter le tout. Mettre dans la casserole avec une cuiller. Cuire au four à 425°F pendant 35 à 45 minutes ou jusqu'à ce qu'un cure-dent inséré au centre en ressorte propre. Couper en morceaux et servir immédiatement. Donne 1 pain.

BRIOCHES DU MATIN

125	mL de noix hachées fin
75	mL de sucre
2	mL de cannelle
1	paquet (10) de pâte à biscuits réfrigérée

Beurrer dix moules à muffin. Mêler ensemble les noix, le sucre et la cannelle. Séparer les biscuits congelés. Couper en quatre et faire des boules. Enrober de vraie mayonnaise puis rouler dans le mélange de noix. En mettre quatre dans chaque moule à muffin. Cuire au four à 200°C pendant 15 à 17 minutes ou jusqu'à doré. Démouler délicatement. Servir chaud. Donne 10 brioches.

Des brioches fraîches pour déjeûner.

DÉLICE HOLLANDAIS

GÂTEAU CHOCOLAT-MAYONNAISE

2	tasses de farine non tamisée
²/₃	tasse de cacao non sucré
1¼	c. à thé de bicarbonate de soude
¼	c. à thé de poudre à pâte
1²/₃	tasse de sucre
3	oeufs
1	c. à thé de vanille
1	tasse de vraie mayonnaise Hellmann's
1¹/₃	tasse d'eau

Graisser et enfariner le fond de deux moules à gâteau rond de 9 pouces. Dans un bol moyen, mélanger ensemble les 4 premiers ingrédients; mettre de côté. Dans un grand bol, battre à grande vitesse les 3 ingrédients suivants, pendant 3 minutes jusqu'à léger et mousseux; gratter les parois du bol. Réduire la vitesse et ajouter la mayonnaise. Ajouter le mélange de farine en 4 fois en alternance avec l'eau, en commençant par la farine et finissant par la farine. Verser dans les moules préparés. Cuire au four à 350°F pendant 30 à 35 minutes ou jusqu'à ce qu'un cure-dent inséré dans le centre en ressorte propre. Refroidir pendant 10 minutes dans les moules. Démouler; refroidir sur des grillages. Glacer au goût. Garnir de tranches d'amandes. Donne 2 étages de 9 pouces.

"BROWNIES" DOUX-AMERS

4	carrés de chocolat non sucré, fondu (1 oz chaque)
250	mL sucre
75	mL vraie mayonnaise Hellmann's
2	oeufs
5	mL vanille
175	mL farine tout usage
125	mL noix hachées
2	mL poudre à pâte
1	mL sel

Graisser un moule de 20 x 20 x 5 cm. Dans un grand bol, mélanger ensemble les 5 premiers ingrédients jusqu'à lisse. Ajouter les autres ingrédients et bien mélanger. Etendre dans le moule préparé. Cuire au four à 180°C pendant 25 à 30 minutes ou jusqu'à ce qu'un cure-dent inséré dans le centre en ressorte propre. Refroidir complètement dans le moule ou sur un grillage. Couper en carrés. Donne 9 carrés.

Ces "brownies" resteront frais dans une boîte avec couvercle.

L'ÉTAGÈRE À GÂTEAUX

GÂTEAU À LA COMPOTE AUX POMMES

750	mL farine tout usage
1	boîte de compote aux pommes (14 oz)
250	mL sucre
250	mL vraie mayonnaise Hellmann's
125	mL lait
10	mL bicarbonate de soude
10	mL cannelle
5	mL vanille
2	mL sel
2	mL muscade
250	mL noix hachées
125	mL raisins secs

Graisser et enfariner un moule de 33 x 23 x 5 cm. Dans un grand bol du malaxeur battre à petite vitesse les 10 premiers ingrédients. Augmenter la vitesse et battre 2 minutes de plus pour bien mélanger. Ajouter les noix et les raisins. Verser dans le moule graissé. Cuire au four à 180°C pendant 30 à 35 minutes ou jusqu'à ce qu'un cure-dent inséré dans le centre en ressorte propre. Refroidir légèrement dans le moule. Servir chaud avec de la crème glacée ou de la crème fouettée. Donne 12 portions.

Un gâteau moelleux qui ne demande pas de glaçage.

CARRÉS AUX BANANES

2	tasses de farine non tamisée
1	tasse de sucre
1	c. à thé de bicarbonate de soude
½	c. à thé de sel
1	tasse de bananes mûres en purée
⅔	tasse de vraie mayonnaise Hellmann's
¼	tasse d'eau
1½	c. à thé de vanille
½	tasse de noix hachées fin

Graisser un moule de 9 x 9 x 2 pouces. Dans un grand bol, mélanger ensemble les 4 premiers ingrédients. Ajouter les 4 ingrédients suivants. Au malaxeur à vitesse moyenne, battre 2 minutes ou jusqu'à lisse. Ajouter les noix en brassant. Verser dans un moule préparé. Cuire au four à 350°F pendant 35 à 40 minutes, ou jusqu'à ce qu'un cure-dent inséré dans le centre en ressorte propre. Refroidir dans le moule sur un grillage. Glacer au goût. Couper en carrés. Donne 9 carrés.

GÂTEAU MOCHA

1½ tasse de farine non tamisée
¾ tasse de sucre
1 c. à thé de bicarbonate de soude
⅔ tasse de café fort ou d'eau
½ tasse de vraie mayonnaise Hellmann's
⅓ tasse de sirop de chocolat
1 c. à table de vinaigre
1 c. à thé de vanille
¼ c. à thé de sel

Dans un moule de 8x8x2 pouces, mélanger ensemble les 3 premiers ingrédients. Ajouter les autres ingrédients. Mêler à la fourchette, en grattant le fond et les côtés du moule, jusqu'à ce que le mélange soit d'une couleur uniforme. Cuire au four à 350°F pendant 30 à 35 minutes ou jusqu'à ce qu'un cure-dent inséré dans le centre en ressorte propre. Refroidir complètement dans le moule sur un grillage. Pour décorer, prendre un napperon de dentelle de papier, le poser sur le gâteau et saupoudrer de sucre à glacer. Enlever soigneusement le napperon, puis couper en carrés. Donne 9 carrés.

Micro-ondes: Utiliser un moule en verre micro-perméable, de 8 ou 9 pouces. Réduire le bicarbonate de soude à ½ c. à thé et mêler comme indiqué ci-dessus. Cuire à 50% d'intensité pendant 8 minutes, puis à haute intensité pendant 1 à 2 minutes ou jusqu'à ce qu'un cure-dent inséré dans le centre en ressorte propre; (le dessus paraîtra humide). Refroidir dans le moule. Saupoudrer de sucre à glacer ou glacer au choix.

GÂTEAU POIRES ET AMANDES

½ tasse de farine non tamisée
½ tasse d'amandes hachées fin
¼ tasse de cassonade foncée bien tassée
¼ c. à thé de muscade
⅓ tasse de vraie mayonnaise Hellmann's
¼ c. à thé d'essence d'amande
1 paquet de mélange de gâteau à la livre (520 g)
⅓ tasse de lait
2 oeufs
2 livres de poires, pelées, tranchées minces

Graisser un moule de 13x9x2 pouces. Dans un bol moyen, mélanger ensemble les 4 premiers ingrédients. Ajouter la mayonnaise en brassant, puis l'essence; le mélange sera grumeleux; mettre de côté. Dans un grand bol, mélanger à petite vitesse, le mélange à gâteau, le lait et les oeufs juste assez pour mêler. Augmenter à vitesse moyenne; battre 2 minutes. Etendre également dans le moule préparé. Disposer les tranches de poires sur le mélange. Recouvrir du mélange à la mayonnaise. Cuire au four à 325°F pendant 50 à 60 minutes ou jusqu'à ce qu'un cure-dent inséré dans le centre en ressorte propre. Refroidir légèrement dans le moule. Servir chaud. Donne 12 portions.

GÂTEAU AUX GRAINES DE PAVOT

125 mL eau bouillante
100 mL graines de pavot
  1 paquet de mélange à gâteau doré (510 g)
  1 paquet de mélange à pouding instantané à la vanille (3¼ oz)
  4 oeufs
125 mL vraie mayonnaise Hellmann's
125 mL liqueur au parfum de licorice (anisette)

Graisser et enfariner un moule de 23 cm à tube. Dans un grand bol, verser l'eau bouillante sur les graines de pavot. Laisser reposer 30 minutes. Au mélangeur à petit vitesse, battre le mélange de graines de pavot avec les autres ingrédients et bien mélanger. Augmenter la vitesse et battre encore 2 minutes. Verser dans le moule préparé. Cuire au four à 180°C pendant 45 à 50 minutes ou jusqu'à ce qu'un cure-dent inséré dans le centre en ressorte propre. Refroidir dans le moule pendant 20 minutes. Démouler, refroidir complètement sur un grillage. Donne 10 à 12 portions.

Pour remplacer la liqueur, on peut utiliser 12 mL d'eau plus 5 à 10 mL d'extrait d'anis.

GÂTEAU FROMAGE ET FRAISES

  1 paquet de fromage à la crème (250 g) ramolli
 ½ tasse de sucre
 ½ tasse de vraie mayonnaise Hellmann's
  2 oeufs
2à3 c. à thé de zeste d'orange râpé
  1 c. à thé de vanille
  1 croûte de tarte en biscuits graham (9 pouces)
1¼ tasse de fraises tranchées
 ¼ tasse de gelée de groseilles, fondue

Dans un grand bol, battre ensemble à petite vitesse, les 6 premiers ingrédients, juste pour mêler. Augmenter la vitesse puis battre jusqu'à lisse. Verser dans la croûte de tarte. Cuire au four à 350°F pendant 25 à 30 minutes ou jusqu'à ferme. Refroidir. Disposer les fraises sur le gâteau; recouvrir de gelée de groseilles. Refroidir si préféré. Donne 8 portions.

LA JARRE À BISCUITS

BISCUITS AUX BRISURES DE CHOCOLAT

¾ tasse de vraie mayonnaise Hellmann's
1 tasse de cassonade foncée bien tassée
2 oeufs
2 c. à thé de vanille
2 tasses de farine non tamisée
½ c. à thé de bicarbonate de soude
¼ c. à thé de sel
1 paquet de brisures de chocolat (12 onces)
1 tasse de noix hachées

Dans un grand bol, au malaxeur à grande vitesse, battre les 4 premiers ingrédients pendant 2 minutes. Réduire la vitesse puis ajouter la farine, le bicarbonate de soude et le sel. Ajouter le chocolat et les noix. Laisser tomber par cuillèrées à thé sur une plaque à pâtisserie graissée, à 2 pouces de distance les unes des autres. Cuire au four à 375°F pendant 8 à 10 minutes. Déposer sur un grillage. Donne 7½ douzaines.

BOULES AU CHOCOLAT

375 mL sucre
125 mL vraie mayonnaise Hellmann's
4 carrés de chocolat non sucré, fondus
2 oeufs
10 mL vanille
500 mL farine tout usage tamisée
10 mL poudre à pâte
50 mL de sucre granulé ou à glacer

Dans un grand bol, battre au malaxeur à grande vitesse, les 5 premiers ingrédients pendant 2 minutes. Ajouter la farine et la poudre à pâte et bien mélanger. Former des petites boules de pâte de 15 mL. Rouler dans le sucre. Mettre sur une tôle à pâtisserie non graissée, à 5 cm de distance les unes des autres. Cuire au four à 180°C pendant 12 minutes. Déposer sur un grillage. Donne 4 douzaines.

BISCUITS DÉCORÉS DE CERISES

½ tasse de vraie mayonnaise Hellmann's
½ tasse de margarine
¾ tasse de sucre
1 c. à thé de vanille
¼ c. à thé de muscade
2 oeufs séparés
2 tasses de farine non tamisée
1½ tasse de noix ou amandes hachées fin
cerises glacées

Dans un grand bol du malaxeur à grande vitesse, battre les 5 premiers ingrédients et les jaunes d'oeufs pendant 2 minutes. Réduire la vitesse et ajouter la farine; continuer de battre. Couvrir et refroidir au moins 3 heures. Faire des boules de ¾ de pouce de diamètre. Tremper dans les blancs d'oeufs puis rouler dans les noix. mettre à 1½ pouce de distance sur une plaque à pâtisserie graissée. Avec le pouce, faire un creux dans le centre et mettre une cerise. Cuire au four à 350°F pendant 15 à 17 minutes. Refroidir légèrement. Déposer sur une grille. Donne 5 douzaines.

De gauche à droite: *Biscuits décorés de cerises, Biscuits aux brisures de chocolat, Boules au chocolat.*

INDEX

Recettes Personelles

Recettes Personelles

Recettes Personelles

Recettes Personelles

Recettes Personelles

Recettes Personelles

Recettes Personelles

Recettes Personelles

Recettes Personelles

Recettes Personelles

Recettes Personelles

Recettes Personelles